MAUDITS MATCHS

BIOGRAPHIE

Patrick Bruno est l'auteur, sous divers pseudonymes, d'une soixantaine d'ouvrages pour la jeunesse, dans des genres différents : aventure, fantastique, historique.

Passionné de sport, il rend hommage, dans cette collection, au football et aux jeunes champions qui ont marqué son histoire.

L'éditeur remercie l'Amicale Sportive Yerroise
et le club de Cesson pour leur collaboration.

COUVERTURE : D.P.P.I. pour Bayard Éditions

© 2010, Bayard Éditions
18, rue Barbès, 92128 Montrouge Cedex
ISBN : 978-2-7470-2834-9
Dépôt légal : janvier 2010
Loi n° 49 956 du 16 juillet 1949 sur les publications destinées à la jeunesse

MAUDITS MATCHS

PATRICK BRUNO

PREMIÈRE ÉDITION

BAYARD JEUNESSE

L'ÉQUIP

ENTRAÎNEUR :
Luc
Giovanelli
(Gio)

*Julien Attal
Gardien de but

Hugues Jordano
Libero

Diego Da Silva
Arrière latéral droit

Michaël Aymard
Stoppeur

Yann
Le Guellec
*Milieu
de soutien*

Xavier Testut
Ailier droit

Gabriel Radinsky
Milieu offensif

DE MIRAVAL

LES
REMPLAÇANTS :

**Damien
Lesage**
Gardien

**Frank Spencer
Serge Vilain**
Défenseurs

**Cyril Kramoën
*Ronald Herman**
Milieux

**Éric Brohan
Jonathan
Etchegaray**
Attaquants

Fabrice Bouvier
Milieu défensif

Nick Serralta
*Arrière latéral
gauche*

**Morgan
Kantor**
Ailier gauche

***Turan
Kodri**
Avant-centre

** Anciens
de l'équipe*

Malgré l'arrosage nocturne, la pelouse de Miraval était dure comme une terre africaine. Le ballon filait sur l'herbe rase avec, parfois, des rebonds inattendus.

Trompé pour la quatrième fois, le milieu offensif, Gabriel Radinsky, eut du mal à contrôler la balle. Quand il eut réussi, il chercha en vain un partenaire. Le marquage impitoyable des défenseurs de Meilhan laissait peu d'espace aux avants de Miraval. Pas moins de trois adversaires verrouillaient Turan Kodri, le solide avant-centre.

– Gaby !

À l'aile droite, Xavier Testut appelait le ballon.

7

Aussitôt, son vis-à-vis se colla à lui. Un garçon costaud, nerveux et sournois, capable de distribuer des coups à l'insu de l'arbitre. «Trop risqué», pensa Gaby. Il choisit de garder le ballon et amorça une attaque au centre. Après avoir dribblé le stoppeur, il poursuivit sa course dans son style flegmatique.

Grand, maigre, dégingandé, musclé malgré tout, il se mouvait, balle au pied, en longues foulées, avec une fausse lenteur qui trompait souvent les Meilhanais.

À l'aile, Xavier enrageait : «Qu'est-ce que tu attends ?»

Turan, débarrassé de ses gardes du corps, leva le bras :

– À moi !

À dix mètres des buts, Gaby effaça le libero en douceur. Il vit alors l'espace inespéré laissé par Féret, le gardien de Meilhan, égaré sur la gauche. Il arma son tir en pensant au but. Il le sentait, voyait déjà le ballon au fond des filets. À l'instant de la frappe, un pied le contra. La balle s'envola au-dessus de la transversale.

Le public, qui avait encouragé Gaby, le siffla. Au bord du terrain, Gio, l'entraîneur, manifesta son mécontentement. Turan eut une grimace désabusée :

– J'étais bien placé.

– Moi aussi !

8

Les paumes des deux joueurs claquèrent. Ces deux-là s'entendaient comme des frères, dans la vie aussi bien que sur le terrain. Turan, d'origine sénégalaise, était un garçon joyeux et pacifique malgré une puissance physique impressionnante. Il leva les bras au ciel : l'arbitre accordait un renvoi aux six mètres.

– Corner ! Il y avait corner ! protesta Gaby.

Féret plaça le ballon avec soin, prit de l'élan et dégagea. À la réception, les joueurs des deux camps se bousculèrent. Michaël Aymard, le stoppeur de Miraval, s'effondra, victime d'un coup de tête. Contre toute attente, l'arbitre estima la faute involontaire.

– Jouez ! ordonna-t-il

– N'importe quoi ! enragea Gaby.

Son irritation s'adressait aussi bien à l'arbitre qu'aux cadets des deux camps, brouillons et maladroits. Ce premier match de la saison offrait un piteux spectacle. Les équipes, composées en majorité d'éléments enrôlés au cours du mois d'août, manquaient de cohésion et d'expérience. Les partenaires se cherchaient. Les adversaires s'énervaient, se heurtaient, s'insultaient. La chaleur torride de cette fin d'été n'arrangeait rien. Les joueurs souffraient, manquaient de muscles et de souffle.

La mi-temps, sifflée par l'arbitre sur le score de 0 à 0, fut accueillie avec soulagement.

—Trop de précipitation, résuma l'entraîneur.

Gio avait organisé seulement trois séances d'entraînement avant le début de la compétition, tout juste le temps de faire connaissance avec ses cadets, de noter leurs qualités et leurs défauts, et de constituer un embryon d'équipe.

Comme toujours, les joueurs critiquaient l'arbitrage.

—Il n'a pas signalé le hors-jeu de l'avant-centre ! fulmina le gardien, Julien Attal. Une fois, ça passe, mais trois…

—Et les corners ! renchérit Gaby.

Michaël montra la bosse qu'il arborait au bas du front et son arcade entaillée :

—Rieux m'a séché. Tu crois que l'arbitre l'aurait sanctionné ? Un vrai tordu, ce mec !

—Il est miro !

Gio leva la main. Ils se turent aussitôt. Ils craignaient cet homme au corps d'athlète et au regard gris acier, ancien international, l'un des meilleurs entraîneurs d'Europe, le plus sévère aussi.

—Trop d'affolement, répéta-t-il. En attaque comme en défense.

—Trop personnel, ajouta Xavier en regardant ostensiblement Gaby.

Il ne pardonnait pas au milieu offensif ses quatre tirs ratés, alors qu'il était lui-même mieux placé pour conclure.

Gaby haussa les épaules :

– Si j'avais marqué…

– Marqué ? pouffa l'ailier. Plus azimuté, tu meurs !

– Il a manqué de réussite, intervint Turan.

Comme Xavier continuait son réquisitoire, Gaby ironisa :

– De toute manière, ce match, on va le perdre 1 à 0, c'est écrit.

– Si tu continues à gaspiller les balles, c'est sûr.

Turan adressa un regard de reproche à son coéquipier :

– Parle pas comme ça, mec. Tu vas nous porter la poisse.

– Vous m'écoutez, oui ? s'emporta l'entraîneur.

Il venait d'expliquer aux joueurs la tactique qu'ils devraient adopter en deuxième période. Gaby, Turan et Xavier n'avaient pas saisi un traître mot de son discours.

– Plus courtes et rapides, les passes. Ne restez pas isolés, résuma Gio.

Il pointa le doigt sur Julien :

– Toi, tu es trop statique. Sors de tes buts, même lorsque ton adversaire est hors-jeu, du moins si tu le crois. Rappelle-toi que l'arbitre est seul juge.

– Pas la peine de le rappeler ! grommela le gardien.

11

L'entraîneur ne l'entendit pas. Il procéda à deux changements : Michaël, handicapé par sa blessure, céda sa place à Serge Vilain, et Morgan Kantor remplaça Éric Brohan à l'aile gauche.

Pendant quelques minutes, les deux joueurs parurent insuffler un sang neuf à l'équipe. Miraval imposa son rythme à Meilhan. Ses offensives déstabilisèrent la défense adverse. La plus dangereuse, amenée par Gaby, aboutit sur Morgan qui contrôla de la poitrine, effaça son vis-à-vis, repiqua au centre et frappa. Son tir tendu faillit surprendre Féret. Le gardien détourna en corner *in extremis*. Sur la remise en jeu, Turan reprit de la tête au-dessus de la transversale.

Il frappa dans ses mains :

– Ça chauffe !

– Tu peux le dire, grogna Gaby.

La chaleur était de plus en plus éprouvante. Malgré tout, les joueurs continuaient à se battre sur toutes les balles. Ils occupaient le camp de Meilhan, à l'exception de Diego, l'arrière droit, et d'Hugues, le libero. La pression s'intensifiait. Les tirs se multipliaient.

Le public, silencieux en première mi-temps, se réveillait.

– Allez les bleus ! Allez Turan !

« Marquer ! Marquer à tout prix ! » On lisait une sorte d'avidité dans les yeux des avants, une soif de victoire.

Morgan, rapide et excellent technicien, dribbla deux adversaires avant de centrer. Gaby reprit de volée. Un tir cadré, trop faible cependant pour inquiéter Féret.

Le gardien de Meilhan fit signe à ses coéquipiers de monter pour desserrer l'étau adverse.

– Attention ! cria Morgan.

Le dégagement de Féret trouva son avant-centre à la hauteur de la ligne médiane. Après avoir crocheté Yann, l'attaquant entreprit une course de vingt-cinq mètres sans être inquiété.

– Revenez ! gronda Gio.

Fatigués par vingt minutes de forcing sous un soleil de plomb, les défenseurs remontaient trop lentement.

Contre Hugues, l'avant-centre se heurta à un bloc de muscles. Il parut perdre le ballon, bénéficia d'un contre favorable et réussit à frapper du pied gauche. Son tir à effet effleura la barre et pénétra dans la lucarne malgré le bond désespéré de Julien. L'arbitre montra le rond central. 1 à 0.

Le buteur se mit à planer autour du terrain, bras écartés, poursuivi par ses coéquipiers ivres de joie. Ce succès, obtenu contre le cours du jeu, porta un coup au moral des joueurs de Miraval. Ils tentèrent de réagir et lancèrent deux attaques. La première, initiée par Gaby et conclue par Morgan, échoua sur le gardien. La seconde, une combinaison habile entre Turan et Xavier, fut stoppée sur la ligne par le libero. Morgan reprit la balle revenue en jeu. Son shoot frôla le montant droit.

– Out ! grogna Turan dégoûté.

La lassitude leur coupait les jambes. Les Meilhanais n'étaient pas en meilleur état. Ils se contentaient maintenant de repousser les attaques en dégageant le plus loin possible. Gaby et ses partenaires récupéraient, ils montaient encore, mais les offensives étaient plus lentes, les passes incertaines ; les tirs manquaient de puissance.

Il restait trois minutes de jeu. Les spectateurs déçus commençaient à quitter le stade. Les joueurs des deux camps attendaient la fin. Le sifflet de l'arbitre les délivra.

– De vraies brèles ! râla Xavier.

Fabrice ricana :

– Parle pour toi !

Turan secoua la tête :

– On n'a pas eu de bol, c'est tout !

– 1 à 0, qu'est-ce que je vous avais dit ? ricana Gaby.

Xavier lui lança un regard furax :

– Toi et tes prédictions !

—De bons éléments, disons des espoirs, mais pas d'équipe, déclara Olivier Bernon.

Gaby, Turan, Hugues et Julien, les quatre inséparables, tournèrent la tête vers celui qui résumait leur premier match de ce ton magistral.

Élève au lycée de Miraval, comme eux, Olivier était un personnage fluet et fébrile. Ses lunettes rondes, cerclées de métal, et son front dégagé lui donnaient un air d'intellectuel que ne démentait pas un esprit vif et curieux.

—Écoutez l'expert ! railla Julien.

Il faisait allusion à la fragilité apparente du garçon qui n'avait jamais touché un ballon de foot de sa vie. Pourtant, quand Olivier analysa les différentes phases de la partie en insistant sur le flottement de la défense, les hésitations des joueurs et les occasions manquées, ils ne purent s'empêcher de rendre hommage à sa compétence.

— Tu vas raconter tout ça dans ta feuille de chou ? lui demanda la petite amie de Julien, Florence, une brunette au regard malicieux.

Olivier rajusta ses lunettes sur son nez marqué d'un coup de soleil récolté durant le match, et toisa la jeune fille :

— C'est déjà fait. Il paraîtra demain ou après-demain.

Depuis un an, il éditait un magazine de quatre pages, *Ballon rond*, consacré au club de Miraval et à son équipe de cadets, l'une des plus célèbres d'Europe. Pour un garçon de quinze ans, la publication de ce journal était une aventure extraordinaire. Elle était due à la générosité du père d'Olivier, propriétaire d'une imprimerie.

Le garçon caressait un rêve : devenir un jour journaliste sportif. José Bernon encourageait cette passion en publiant les articles de son fils et en distribuant son journal dans les boîtes aux lettres de Miraval.

— Je pense que ce numéro vous intéressera particulièrement, ajouta Olivier.

— Le compte-rendu de notre débâcle, tu parles ! grommela Hugues.

Olivier sourit d'un air mystérieux avant de détourner la conversation :

— Morgan est un sacré joueur, rapide, incisif. Gio devrait le titulariser.

Turan fronça les sourcils :

— Tu oublies Éric.

— Pas du tout, je lui prédis une grande carrière… au ping-pong, comme moi, répliqua Olivier, cynique.

Les autres s'esclaffèrent.

— Il était si nul que ça, ce match ? demanda Marie-Laure, la copine d'Hugues.

— Pire, gloussa Olivier. Des jambes en coton et des shoots en charentaises.

— J'aurais voulu t'y voir, toi, le Hobbit, pesta Julien. Il faisait 34 °C à l'ombre, et c'était notre premier match. On n'avait jamais joué ensemble, je te signale.

Le libero, un garçon costaud qui faisait penser à Leonardo Di Caprio, du moins selon Marie-Laure, prit ses amis à témoin :

— Je ne sais pas vous…

— Ce n'était pas la forme olympique, enchaîna Turan.

Tout en bavardant, la bande composée de neuf élèves de seconde, cinq garçons et quatre filles, atteignit *La Pagode*, un café au décor oriental, devenu leur quartier général après les cours.

La patronne, Madeleine, regarda les lycéens

17

s'installer avec de grands rires autour de la table ornée de dragons. Ce meuble occupait la pièce baptisée pompeusement salon d'hiver, simple prolongement de la grande salle du café, dont elle était séparée par une rangée de bambous.

Madeleine appréciait cette jeunesse bruyante, mais sympathique. Les ados mettaient de l'animation dans son établissement fréquenté par les joueurs de cartes et les buveurs solitaires.

—On a pris une claque, mais gare à notre prochain adversaire ! annonça Turan en s'étirant.

Hugues hocha la tête :

—Impossible de jouer plus mal.

—Ça reste à prouver, ricana Olivier.

—On perdra 2 à 0, plaisanta Gaby.

Turan abattit son poing sur la table :

—Tu ne vas pas recommencer avec tes prophéties !

Julien ricana :

—Perdre contre Pérols ? Ça me ferait mal !

—L'année dernière, on leur a mis 3 à 0, aux Pérolais ! rappela Hugues.

—Tu crois vraiment à ce que tu dis ?

Gaby regarda la jolie blonde aux yeux verts qui se penchait vers lui. Virginie Masson était certainement la fille la plus fascinante du lycée. Gaby était tombé amoureux d'elle dès la première seconde où il l'avait aperçue. Sa beauté, faite de perfection et de fragilité, l'intimidait ;

il avait du mal à soutenir son regard. Pour se donner une contenance, il frima :

—Mes prédictions se réalisent toujours.

—Un vrai prophète ! le taquina Virginie.

Ses amies apprécièrent. Vexé, Gaby lança la première vanne qui lui vint à l'esprit :

—Par exemple, je peux t'annoncer que tu seras folle amoureuse de moi avant la fin de l'année.

Les rires redoublèrent, cette fois aux dépens de Virginie :

—Dans tes rêves ! dit-elle en rougissant.

—Dans mes rêves, oui.

Elle lui tourna le dos ostensiblement et se mit à parler avec Marie-Laure comme s'il n'existait plus. De leur côté, les garçons évoquèrent le match à venir. Comme toujours, Olivier était le mieux informé.

—L'équipe de Pérols est, à quelques exceptions près, la même que la saison passée. Sauf l'avant-centre. Le nouveau, Fred Lechapelier, est un sacré buteur. Méfiez-vous de lui. Il vient de Mazargues. Là-bas, il a marqué une quarantaine de buts. Au fait, tu dois le connaître, non ?

La question s'adressait à Gaby, occupé à tourner sa cuiller dans sa tasse d'un air absent.

—Qui ça ?

—Lechapelier, un fonceur, adroit, opportuniste…

Gaby haussa les épaules avec indifférence :

19

—Lechapelier ? Ça ne me dit rien.

—Tu as bien joué à Mazargues ?

—Et après ? grommela-t-il.

Il avait autre chose en tête : Virginie ! C'était la toute première fois qu'elle se joignait à la bande, et lui, au lieu d'en profiter pour l'apprivoiser, la séduire, il avait fait le malin !

Il finit sa tasse d'un trait et se leva :

—Je décolle !

—Déjà ? s'étonna Turan.

—J'ai ma dissert' à finir.

Il déposa quelques pièces sur la table et sortit du café.

—Drôle d'oiseau ! fit remarquer Florence.

Julien approuva :

—Un peu zarbi. Il disparaît toujours comme ça, brusquement. On ne sait pas ce qu'il fait ni où il habite.

—Il est sympa, intervint Turan.

—Très, confirma Hugues, pas bavard, mais intelligent et marrant.

—Et au foot, il est bon ? demanda Lucie, la plus jeune des quatre filles.

—Dans ce domaine non plus il ne ressemble pas aux autres, répondit Olivier.

—Il n'a pas le look, c'est sûr, pouffa Marie-Laure. Il ressemble à un basketteur.

—Ne te fie pas à sa maigreur et à sa nonchalance, dit Hugues. Il est vachement musclé. Je me suis déjà bagarré avec lui pour rigoler, il m'a cloué au sol.

Marie-Laure regarda Virginie d'un air malicieux :

— Et toi, qu'est-ce que tu penses de lui ?

— Pas grand-chose.

— Non ? Il est dingue de toi.

Virginie leva les yeux au ciel :

— N'importe quoi !

— Comme si tu n'avais rien remarqué !

— C'est un frimeur.

— Il te taquine, mais tu lui plais, dit Turan.

Le commentaire amena une nouvelle rougeur sur les joues de la jeune fille. Ils crurent qu'elle allait se fâcher, mais elle se mit à rire :

— En tout cas, moi, je ne peux pas le saquer.

— Rien n'est perdu, ironisa Flo. D'après ses prévisions, tu as encore trois mois pour tomber amoureuse de lui.

Virginie détacha ses cheveux d'un geste vif et les secoua comme un animal en colère :

— Si on parlait d'autre chose ?

— Je crois qu'il a déjà une copine, avança Julien.

— Qui ça ? demanda Hugues.

— Gaby. Tous ses rendez-vous mystérieux… Il regarde sa montre et, soudain, il disparaît. Plus personne ! Il y a une fille là-dessous.

— Je lui souhaite bien du courage ! commenta Virginie avec un sourire forcé.

L'entraînement avait lieu tous les mercredis de quinze heures à dix-sept heures. Les joueurs savaient Gio intransigeant sur l'horaire et la discipline. Pourtant, ce jour-là, on aurait dit qu'ils se moquaient volontairement du règlement. Quatre d'entre eux manquaient à l'appel sans avoir pris la peine de s'excuser. Deux autres étaient en retard. Gio ne décolérait pas.

Yann arriva vingt minutes après le début de l'entraînement à cause d'un accident de scooter sans gravité. Gaby, lui, parut vers seize heures, souriant, décontracté. Gio était en train de former les équipes du match de sixte qui clôturait toujours la séquence technique de l'entraînement.

— Qu'est-ce que tu fais ici, si ce n'est pas indiscret ? lui demanda l'entraîneur avec une douceur menaçante.

Gaby montra ses coéquipiers en train de s'exercer aux tirs au but :

— Ben… je viens jouer.

— L'entraînement est terminé.

— Déjà ?

— Déjà, oui. On commence à quinze heures précises. Comme si tu l'ignorais ! Pourquoi ce retard ?

Gaby fit un geste évasif :

— Des ennuis.

— Quelle sorte d'ennuis ?

— Familiaux.

L'entraîneur prit la réponse laconique pour de l'insolence. Le comportement du milieu offensif l'étonnait. D'après ce qu'il avait pu observer depuis trois semaines, Gaby n'était pas du genre mal élevé ou réfractaire. Au contraire, il était pacifique, docile et agréable. Plutôt doué comme joueur, quoique désinvolte.

Désinvolte. Le mot lui convenait. Il restait planté là, sourire aux lèvres, malgré son mépris de la ponctualité. Gio ne pouvait pas tolérer une telle attitude.

Les yeux gris foudroyèrent le retardataire :

— Tu connais la règle : les absents à l'entraînement sont exclus du terrain le dimanche suivant.

– C'est pour ça que je suis venu.

– Avec une heure de retard ? Tu aurais mieux fait de rester chez toi.

Gaby se contenta de hausser les épaules d'un air fataliste. Agacé, l'entraîneur prit le parti de l'ignorer. Retournant sur le terrain, il répartit les joueurs en deux camps. Dans le premier figuraient Julien, Diego, Hugues, Michaël, Xavier et Turan. Dans le second, Damien Lesage, le gardien remplaçant, Nick Serralta, l'arrière gauche, Yann, Morgan, Éric, ainsi que Jonathan Etchegaray, un nouveau, inscrit au club une semaine auparavant.

Écarté de la sélection, Gaby alla s'asseoir sur le banc des remplaçants en compagnie de Ronald Herman, un ancien de l'équipe.

– Le temps est à l'orage, soupira-t-il.

Un rire silencieux étira les lèvres de Ronald :

– J'ai vu ça. Le boss t'a foudroyé !

– Je parlais du ciel. Mais il était furax, c'est sûr. Il n'avait pas tort. Dommage pour dimanche.

Il s'interrompit pour observer le match. Déjà, les joueurs se livraient un combat farouche, sachant que leur titularisation dépendait de leurs performances.

Au bout de cinq minutes, Turan se débarrassa de deux adversaires et battit Damien d'un tir fulgurant. Gaby siffla entre ses dents :

– Mortel, l'ovni ! Tu as vu ça ?

—Il a repris la forme, constata Ronald en bâillant.

Gaby le dévisagea avec curiosité :

—Pourquoi tu ne joues jamais ?

D'un an plus âgé, Ronald avait tout pour lui : le physique, l'adresse, l'expérience. Membre du club depuis plusieurs années, il avait fait partie de l'équipe de cadets, championne de France, et participé à la tournée en Iran avec Julien et Turan.

—Je joue quand j'en ai envie, dit Ronald en s'étirant.

—Pas souvent.

—Il n'y a pas que le foot dans la vie.

Gaby acquiesça avec un sourire, puis reporta son attention sur le terrain. Morgan et Jonathan effectuaient une démonstration de dribbles et de passes qui désorientaient la défense adverse. En fin de course, Morgan crocheta Julien, et entra dans les buts balle au pied.

—Sacré battant ! constata Ronald.

Gaby hocha la tête :

—Les places vont être chères.

—Tu as la tienne.

Gaby tapota le banc :

—Celle-là, oui.

Au même instant, ils virent venir un petit personnage en survêtement bleu, dont la silhouette fluette évoquait un elfe plus qu'un footballeur.

—Vise la recrue ! plaisanta Ronald.

Gaby s'esclaffa en reconnaissant Olivier :

— Tu viens t'entraîner, mec ?

— Voilà notre grand reporter ! s'exclama Ronald.

Ignorant leurs railleries, Olivier s'assit entre les deux remplaçants.

— Je suis venu voir comment se présente l'équipe avant le match contre Pérols, expliqua-t-il.

Ronald lui lança un regard ironique :

— Tu aurais mieux fait d'observer Pérols.

— J'en viens.

Gaby, incrédule, fronça les sourcils :

— Tu veux dire…

— Ils se sont exercés ce matin. Fred, le nouvel avant-centre, est canon, conforme à sa réputation.

À son air assuré, ils comprirent qu'il ne bluffait pas : il s'était réellement rendu à Pérols en moto, à trente bornes de là, pour assister à un simple entraînement.

— Ce Fred, il est meilleur que Turan ? demanda Ronald.

Il montra du doigt le Sénégalais. Celui-ci venait de décocher un tir puissant, arrêté en deux temps par Damien.

— Je ne sais pas. En tout cas, ça promet un beau duel, répliqua Olivier pensif.

Il se tourna vers Gaby :

— Tu maintiens ton pronostic : 2 à 0 pour Pérols ?

— 2 à 0, confirma Gaby.

Ronald pouffa :

— Tu n'as pas dit ça ?

— Il l'a dit, confirma Olivier sans quitter le match des yeux. Il se trompe : je suis prêt à parier ma moto.

Gaby secoua la tête :

— Tu perdrais ton bel étalon, et je n'ai rien à parier en échange.

Sur le terrain, le combat était acharné. Gio intervenait sans cesse. Entre deux interruptions, tout en arbitrant, il dispensait ses conseils, commentait les actions, signalait les erreurs.

— Ce mec est génial, lança Olivier admiratif. Aucun entraîneur ne lui arrive à la cheville. Il risque de faire la différence, cette saison encore.

Ronald fit la moue :

— La différence ? Si tu penses au championnat, c'est mal parti !

— Avec lui, tout est possible. Il sait adapter sa stratégie au style de ses adversaires. C'est chaque fois le même miracle.

Gaby leva les yeux au ciel :

— Miracle, tu charries un peu !

— Il a raison, intervint Ronald. Ce n'est pas un hasard si Miraval a remporté cinq titres de champion de France. C'est grâce à Gio.

— Lui-même a été une star, enchaîna Olivier avec enthousiasme. Un battant, un killer ! Trois fois meilleur buteur du championnat, à Saint-Étienne, puis à Leeds, en Angleterre.

– Pourquoi il a abandonné ?

Le visage d'Olivier se crispa. Il ôta ses lunettes et les essuya avec son mouchoir avant d'expliquer :

– À cause d'un grave accident, plusieurs fractures, un an de chirurgie. Adieu le foot ! Enfin, la compétition. Il aurait pu entraîner les meilleures équipes. Il a choisi les cadets. Il a formé plusieurs internationaux.

Il se tut pour suivre le déroulement de la partie. Jonathan, fauché par Hugues, était resté au sol. Gio se pencha sur l'attaquant. La blessure était sans gravité, mais l'entraîneur décida de le remplacer :

– Gaby !

Le milieu de terrain se leva, flegmatique. Il se livra à quelques mouvements d'échauffement avant de se débarrasser de son survêtement.

– Prends ton temps, surtout, on a toute la soirée, gronda Gio.

Gaby adressa un clin d'œil à ses coéquipiers. Il pensait remplacer Jonathan au sein de la deuxième équipe, mais l'entraîneur le fit permuter avec Xavier. Il se retrouva ainsi en position d'attaquant à côté de Turan.

Les camps étaient à égalité 3 à 3. Il restait cinq minutes de jeu, sauf si Gio décidait de prolonger le match. Il le faisait parfois.

Après la remise en jeu, Morgan lança une offensive dangereuse et faillit surprendre Julien. Le portier effectua un plongeon acrobatique, puis relança à la main en direction d'Hugues, qui prolongea pour Gaby. Celui-ci contrôla la balle d'un coup de patte, dribbla Yann et se trouva face à Nick. Il souleva le ballon, loba l'arrière avec adresse.

—Magnifique, la louche ! commenta Olivier.

Damien fonça sur Gaby, étrangement paralysé. « Shoote ! grommela Gio. Trop tard ! » À l'instant où le gardien allait dégager, Gaby transmit le ballon à Turan qui le poussa dans les buts.

—Bien fait ! reconnut l'entraîneur.

Il siffla aussitôt la fin de la rencontre.

Turan, Hugues et Julien vinrent féliciter Gaby.

—Pas mal pour un bleu ! plaisanta Julien.

Turan flanqua une bourrade joyeuse à son complice :

—Fais-nous trois passes comme ça, dimanche.

—Je ne jouerai pas.

Hugues haussa les épaules :

—Tu plaisantes !

—Je suis puni : pas d'entraînement, pas de match !

Julien montra le terrain :

—Et ça ? Tu as été super !

—Je suis juste un remplaçant, un sparadrap.

Même si je jouais, je ne changerais pas le destin : 2 à 0 pour Pérols !

Les joueurs éclatèrent de rire.

— Ça me ferait mal ! s'exclama Hugues.

Gio interrompit leur discussion :

— J'ai vu de belles choses, mais trop isolées, des exploits individuels. Vous devez vous appuyer davantage les uns sur les autres. Toi, Gaby, tu joueras milieu offensif, comme prévu. Mais à une seule condition.

— Laquelle ?

— Je veux ta promesse de participer dorénavant à tous les entraînements.

— Tous ?

— Tous, et à quinze heures, pas à seize !

Gaby poussa un soupir déchirant :

— Adieu, ma sieste !

Avec le retour du soleil, plusieurs centaines de supporters en tenues d'été occupaient le stade et encourageaient bruyamment leur équipe :

– Allez, les verts !

– Qui c'est, le meilleur ? Le meilleur, c'est Pérols !

Au sommet de l'unique tribune, un clairon sonnait la charge à la plus grande joie des spectateurs.

– On se croirait à la corrida ! fit remarquer Yann.

– À nous la mise à mort ! rugit Turan.

Le match débuta par la domination écrasante

de Miraval. Portés par l'euphorie qui avait donné de si bons résultats au cours de l'entraînement, le mercredi précédent, les coéquipiers de Gaby multipliaient les offensives. Celles-ci se brisaient sur les Pérolais repliés en défense, mais on sentait qu'une faille ne tarderait pas à s'ouvrir dans ce système de jeu stérile.

Pour la quatrième fois consécutive, Morgan déborda sur l'aile gauche et centra. Turan reprit de la tête. Ray, le gardien détourna le ballon.

Sur le banc de touche, Damien apprécia en connaisseur :

— Belle envolée !

Gio fit signe à ses défenseurs de se placer pour réceptionner le corner. Hugues et Diego, les deux plus grands, rejoignirent Turan, Morgan et Xavier devant les buts de Pérols. Chargé de la remise en jeu, Gaby brossa son tir avec une adresse diabolique. Le ballon décrivit une longue parabole, évita le rideau défensif et revint sur Xavier. L'ailier manqua sa reprise volée. La balle alla se perdre en sortie de but.

Le gardien s'empressa de la récupérer, puis il dégagea de toutes ses forces. À la hauteur de la ligne médiane, Fred réussit un amorti malgré la charge musclée de Fabrice.

Ronald prit à témoin les remplaçants serrés sur le banc de touche :

— Super technique !

Olivier, assis à côté de lui, se crispa :

— Attaquez-le !

Après avoir trompé Fabrice et Michaël, l'avant-centre des verts était parti balle au pied, droit au but. Il entrait dans la surface lorsque Hugues parvint à lui subtiliser le ballon grâce à un tacle glissé. Ronald émit un sifflement admiratif :

— Dangereux !

Olivier secoua la tête :

— Il a inscrit deux buts lors du premier match, et je l'ai vu à l'entraînement : un vrai scorpion ! Il ne faut pas lui laisser un millimètre de liberté.

Le ballon, botté par Julien, aboutit dans les pieds de Gaby étrangement figé.

— Qu'est-ce qu'il attend ? s'énerva Jonathan.

Le milieu de terrain effaça un adversaire avec une lenteur surprenante. Puis, toujours au même rythme, il dribbla le libero. À sa gauche, Turan attendait, démarqué. Gaby simula une passe, et tira. Le gardien de Pérols, surpris, resta pétrifié. Le ballon cogna le montant et ricocha en sortie de but.

Olivier se dressa avec une telle impétuosité qu'il en perdit ses lunettes :

— Magnifique !

— Pas de bol ! rumina Jonathan.

Le long de la touche, Gio fit signe à ses joueurs de reprendre leur place. On le sentait tendu.

Pérols engagea rapidement. Son milieu offensif effectua un contrôle orienté sur Fred bien lancé. Une nouvelle fois, l'avant-centre fonça ; il évita le tacle d'Hugues, échappa à Nick et se défaussa sur son ailier gauche qui dribbla Diego et centra à ras de terre. Fred reprit de l'extérieur du pied gauche. Julien plongea : il effleura la balle sans pouvoir l'empêcher de finir dans les filets.

– Hors-jeu !

Les défenseurs de Miraval protestaient auprès de l'arbitre : le buteur était hors jeu ! Intraitable, l'arbitre indiqua le rond central. 1 à 0.

– Un scorpion, je vous l'avais dit ! soupira Olivier.

Gio consulta sa montre : cinq minutes de jeu. Gaby et ses partenaires se ruaient à l'attaque pour égaliser avant la mi-temps. Tous leurs adversaires s'étaient repliés en défense. Miraval se heurtait à un mur qui se contentait de renvoyer le ballon au petit bonheur.

Le public, conquis, encourageait les deux équipes.

Gaby s'empara de la balle au centre du terrain et renversa le jeu sur Xavier. L'ailier droit évita la charge de son vis-à-vis avant de centrer. C'était une belle passe à mi-hauteur. Turan, nerveux, manqua sa reprise. Le ballon, repoussé par un défenseur, roula vers Gaby. Celui-ci le dévia sur Yann et, sans attendre, fonça vers les buts dans l'attente d'une passe qui ne vint pas. Yann s'empêtrait dans ses dribbles. Quand il servit enfin son coéquipier, Gaby se trouvait encadré par deux adversaires.

– Bougez-vous ! râla Ronald.

Gaby réalisa alors un geste qui stupéfia les spectateurs : soulevant la balle du bout du pied, il la fit passer au-dessus de sa tête, pivota entre ses gardes du corps, malgré leur tentative d'obstruction, réussit un amorti du cou du pied, évita l'attaque du libero d'un crochet de l'intérieur du pied droit. Son shoot, tendu, frôla le cadre, provoquant un « oh ! » admiratif du public.

– Génial ! s'exclama Damien.

– Dommage ! grogna Jonathan.

Le sifflet de l'arbitre retentit. Mi-temps !

– Il y a eu de bonnes choses et de mauvaises, commenta Gio devant ses joueurs réunis en demi-cercle. D'excellents éclairs offensifs. En défense, des erreurs impardonnables qui auraient pu vous coûter beaucoup plus cher. Vous laissez trop de liberté à vos adversaires. L'avant-centre est souvent seul. Le marquage doit être plus strict. Michaël, et toi, Fabrice, tous les deux, vous devez le neutraliser. Je dis bien : le neutraliser, pas le brutaliser. J'insiste : attention aux fautes dans la surface.

Il se tourna vers le quatuor d'attaque composé de Turan, Morgan, Xavier et Gaby :

– Jusqu'à présent, leur stratégie défensive a donné de bons résultats.

– Le béton, c'est nul ! lança Turan avec mépris.

– Ils vont continuer en deuxième période, poursuivit Gio. N'essayez pas de percer au centre, attaquez par les ailes. Xavier et Morgan, vous allez centrer en hauteur. À la réception, Turan et Gaby. Vous avez l'avantage de la taille, et vous êtes meilleurs au jeu de tête, vous l'avez prouvé. Au premier but, ils desserreront leur défense. Et s'ils le font, ils seront à votre merci.

À la reprise, le scénario de la première période recommença : pendant vingt-cinq minutes, Miraval exerça une domination écrasante. Les tirs cadrés se succédaient. Pérols, en pleine tourmente, résistait comme il pouvait. Son gardien, en grande forme, effectua plusieurs parades extraordinaires. Gaby frappa sur la transversale. L'arbitre refusa un but de Turan.

On pensait que Pérols allait enfin céder lorsque Fred, à l'affût, capta un dégagement maladroit et lança une contre-attaque foudroyante. Il se défit de Fabrice, déborda Nick. Au moment où il armait son tir, Hugues le tacla par-derrière. Il s'écroula. L'arbitre siffla sans hésiter :

– Penalty !

Fred prit tout son temps pour placer le ballon au point de réparation.

– Il va le manquer ! annonça Olivier.

L'arbitre avait donné le signal. L'avant-centre ne se décidait toujours pas à shooter, et cette hésitation volontaire augmentait la nervosité de Julien. Le tir soudain prit Julien à contre-pied. La balle heurta le poteau gauche et revint en jeu. Fred avait suivi. Il reprit et trompa le gardien. 2 à 0.

Turan écœuré se prit la tête dans les mains :

— On est vraiment maudits !

Il restait six minutes. Malgré les tentatives de Miraval, le score resta inchangé. Les joueurs regagnèrent les vestiaires, la tête basse, tandis que leurs adversaires saluaient joyeusement le public.

— 2 à 0, c'est bien le score que tu avais prédit. Tu es content, j'espère, râla Xavier.

Gaby haussa les épaules :

— Je plaisantais.

— C'est ce que tu fais de mieux, répliqua l'ailier avec aigreur.

—Là où on est imbattables, c'est à l'entraînement ! fit remarquer Hugues avec une ironie
amère.

Turan, qui dévorait un sandwich gros comme
son bras, approuva, la bouche pleine :

—Belle partie !

Pendant le match de sixte, il venait de marquer
trois buts en une demi-heure. Son appétit de victoire rassasiée, il entreprenait d'en satisfaire un
autre tout aussi exigeant.

Gaby sourit. Il aimait les mercredis où ils se
réunissaient à *La Pagode*, après le stade.
Madeleine leur réservait toujours le salon d'hiver,

quitte à chasser d'autres habitués : « Les petits ne vont pas tarder à arriver ! »

Parfois, comme ce jour-là, les filles étaient les premières. Madeleine les taquina :

— Vos petits copains ne viendront pas, ce soir, ils sont partis avec leurs admiratrices.

— Leurs admiratrices, tu parles ! répliqua Flo. Ils ont encore perdu dimanche dernier. L'équipe est avant-dernière !

Au même instant, les garçons envahirent le bar. Ils embrassèrent affectueusement la patronne, puis prirent possession des lieux avec sans-gêne.

— Mado, tu as encore du pain ? J'ai une de ces faims !

— Mado, tu as reçu les chewing-gums, tu sais, l'étui rouge ?

— Mado, tu me files des glaçons ?

Elle ronchonnait pour la forme. Ce n'était pas avec eux qu'elle ferait fortune. Mais en entendant leurs plaisanteries idiotes, elle retrouvait sa jeunesse.

— Le film commence à 18 h 10, rappela Julien.

Pour une fois, ils étaient tous d'accord. *Révélation*, une histoire d'amour chez les vampires, plaisait autant aux garçons qu'aux filles.

— Sans moi, il faut que je rentre, annonça Gaby.

Marie-Laure fit la moue :

— Pour une fois, allez, tu ne viens jamais !

— Je ne peux pas, désolé.

Lucie échangea un regard malicieux avec ses amies :

— Tu as tort : Virginie ne va pas tarder.

— J'ai rendez-vous, précisa Gaby en consultant sa montre.

— Avec une fille ? voulut savoir Turan.

— On ne peut rien te cacher.

— Attends ! dit Flo, comme il se levait de table. Pour le match de dimanche, quel est ton pronostic ?

— 4 à 1 pour Miraval, assura Gaby en riant. Trois buts de Turan.

Le Sénégalais s'étouffa en avalant le quignon de son sandwich. Julien lui administra de grandes claques dans le dos :

— Il ne te reste plus qu'à sortir le grand jeu.

À la sortie du bar, Gaby croisa Virginie. Il lui fit la bise et s'esquiva en vitesse :

— Bonne soirée.

— Salut, répondit la jeune fille, déconcertée par son départ précipité.

— Tu l'as fait fuir ! plaisanta Flo.

Virginie lui sourit en montrant les dents :

— C'est malin !

— Il a peur de toi, dit Olivier en se serrant contre elle. Ce n'est pas mon cas.

Elle le repoussa :

— Tu transpires, j'ai horreur de ça !

— Je n'ai pas joué au foot ! protesta-t-il.

43

Elle plissa le nez :

—Qu'est-ce que ça serait !

Il s'écarta d'un air maussade :

—Ton Gaby, il avait rendez-vous avec une fille.

—Quelle fille ? questionna-t-elle étourdiment.

Les autres se lancèrent des regards entendus.

—Arrêtez avec ça ! ordonna Virginie, agacée.

Gaby avait bien rendez-vous avec une fille. Celle-ci avait onze ans et demi et se prénommait Louise. C'était sa sœur.

En arrivant chez ses parents, sur le perron de la villa, il rencontra Myriam, la prof de la fillette.

—Louise a bien travaillé, se réjouit-elle. Elle a fait de grands progrès en français et en maths.

Gaby regarda la jeune femme enfourcher son vélomoteur garé à côté du sien. Au même instant, une voix espiègle l'interpella à l'intérieur de la maison :

—Gaby, ramène tes fesses !

Il s'exécuta en riant. La petite l'attendait dans le salon. Elle était clouée dans un fauteuil roulant depuis l'accident qui lui avait paralysé les jambes, quelques années auparavant. Elle avait un joli visage, des traits délicats, des cheveux bouclés et de grands yeux noirs d'une vivacité extraordinaire.

—Ça baigne ? soupira-t-il en laissant tomber son sac de sport.

Elle gonfla les joues :

—Maths, anglais, français… Cette goule m'a sucé le sang !

—C'est quoi, une goule ? dit-il en riant.

—Un vampire femelle. Tu devrais savoir ça à ton âge.

—Je ne suis pas aussi génial que toi.

Louise lisait tout le temps. Les parents devaient l'obliger à éteindre sa lampe de chevet, parfois à minuit passé.

—Toi, c'est au foot que tu es génial. Au fait, tu as gagné ?

Il secoua la tête :

—Perdu !

—Encore ?

—C'était à l'entraînement.

—N'empêche !

—Turan a été fantastique !

—C'est toi, le meilleur.

Il se mit à rire :

—Qu'est-ce que tu en sais ?

—Je lis *Ballon rond*, et puis Vi me téléphone tous les jours.

La jeune Viviane était la cousine de Gio. Autrefois, les fillettes étaient ensemble au CP. Après sa paralysie, Louise n'avait pas voulu faire sa sixième au collège. Ses parents avaient cédé : Louise étudiait maintenant à domicile.

—Le prochain match, c'est contre Trets. On va gagner 4 à 1 !

Ce fut au tour de Louise de pouffer :

— 4 à 1, carrément ! Il est vrai que Monsieur est magicien.

— Exactement.

— Ta magie pourra m'aider à faire mon devoir de maths ?

— Où est ton livre ?

Elle secoua ses boucles brunes :

— Pas tout de suite, pitié ! Myriam m'a carbonisé les neurones !

— Carbonisé les neurones ! s'esclaffa-t-il.

Elle avait le don d'inventer des formules hilarantes.

— On a le temps, les parents ont téléphoné : ils rentreront à pas d'heure.

Jean-Louis et Hélène Radinsky, agents immobiliers, étaient toujours sur les routes. En leur absence, Pierrette, leur femme de ménage, relayée par Gaby, prenait soin de Louise.

Gaby adorait sa petite sœur.

— Ça te dirait de jouer aux 7 Royaumes ? lui proposa-t-il.

Elle fit la moue :

— Je préfère regarder un DVD.

Il alluma la télé puis fouilla dans la vidéothèque :

— *Le seigneur des anneaux ? Pirates des Caraïbes ? Spiderman ?*

— Non, le Miyazaki, tu sais…

— *Le château ambulant ?*

— Oui.

Maniant son fauteuil avec dextérité, elle s'installa face au récepteur.

— Tu l'as vu au moins vingt fois, objecta Gaby.

— Trente ! Qu'est-ce que ça fait ?

— Comme tu voudras.

L'histoire de ce château qui se baladait par monts et par vaux, et dont les portes s'ouvraient à la demande sur des univers différents, fascinait Louise. Elle riait aux larmes, en particulier lorsque la terrible sorcière des landes, qu'elle avait surnommée « la limace », privée de ses pouvoirs maléfiques, devenait une mémé capricieuse.

Sans quitter l'écran des yeux, elle demanda d'un air innocent :

— Et ta petite copine ?

— Je n'ai pas de copine, grommela Gaby.

— La blonde.

— Il y a une bonne centaine de blondes au lycée.

— Virginie. Tu m'as dit qu'elle était très belle.

— C'est vrai.

— Tu l'as embrassée ?

— Elle ne sait même pas que j'existe.

Il fronça les sourcils et ajouta :

— Si tu t'occupais de tes affaires ?

Louise éclata de rire en voyant, sur l'écran,

le feu, un puissant démon captif, obligé par l'héroïne à faire griller des saucisses comme un vulgaire cuisinier, au lieu de régner sur le monde.

Trois minutes plus tard, incapable de tenir sa langue plus longtemps, elle assura :

—Elle va craquer pour toi, c'est sûr. Mais il faut que tu lui dises.

—Que je lui dise quoi ?

—Que tu es amoureux d'elle.

—Je ne suis pas amoureux ! grogna-t-il excédé.

—Mon œil ! Non, ne t'en va pas ! Gaby, reste avec moi, supplia-t-elle.

—Je reste, mais tu la fermes !

—D'accord, soupira-t-elle.

Elle garda le silence pendant quelques minutes avant de murmurer :

—Tu es gentil et marrant, les filles aiment ça.

—Les filles comme elle ne s'intéressent pas à un mec comme moi.

—Tu rigoles ! OK, OK, je me mêle de ce qui ne me regarde pas. Mais il faut bien que je m'occupe des autres. Toute seule ici, c'est pas drôle !

—Je comprends…

—Tu sais ce que je voudrais ? s'exclama-t-elle.

—Quoi donc ?

—Assister à votre prochain match. Tu pourrais me conduire au stade ? Tu veux bien ?

Il lui sourit :

—Promis ! J'en parlerai à maman.

Elle prit l'air sévère :

—En attendant, tu as intérêt à t'entraîner, Radinsky. Je ne me déplace pas pour rien. Le château ambulant, c'est moi !

MIRAVAL

0:6

– C'était sympa ton rendez-vous ? s'informa Turan.

Gaby acquiesça :

– Très, et toi, ton film ?

L'avant-centre fit la grimace :

– Pas mal, un peu mélo, je préfère l'action.

– Au ciné comme au foot, plaisanta Gaby.

Le Sénégalais sourit, approbateur, puis il demanda :

– Tu es en forme ?

– À ton avis ?

Gaby doubla son coéquipier dans la montée. Depuis un quart d'heure, ils suivaient le « sentier des chèvres » comme l'avaient baptisé les vétérans de l'équipe, un long chemin à travers les collines dominant Miraval.

— Économisez votre souffle, conseilla Gio.

Ils coururent ainsi encore quelques minutes, puis l'entraîneur leur accorda une pause. Les dix-sept garçons (il n'y avait qu'un absent, ce mercredi-là) s'assirent avec soulagement sur un muret de pierre, le long du chemin. Gio, lui, se planta devant eux, les poings sur les hanches :

— Vous êtes en progrès.

— On a perdu tous nos matchs, ricana Xavier. À part ça…

— On est avant-dernier, renchérit Jonathan.

Gio considéra les deux joueurs comme s'il évaluait leur aptitude à faire partie de l'équipe. Sous le poids de son regard gris acier, les défaitistes baissèrent la tête.

— Le championnat débute à peine, déclara l'entraîneur. En quinze ans, j'ai connu des débuts plus catastrophiques. Je me souviens d'une année… Au cours des trois premiers matchs, nous avions été battus, écrasés même. En juin, nous avons terminé en tête avec six points d'avance. Ce qui ne signifie pas que nous serons champions, bien entendu.

Il se mit à arpenter le chemin sous les yeux de ses joueurs, tout en poursuivant, comme s'il s'adressait à lui-même :

– Votre qualité essentielle, c'est la complémentarité. Pas encore la cohésion, mais elle viendra, je le sens. Vous êtes faits pour vous entendre, vous comprendre. C'est cela une équipe.

Il balaya les dix-sept garçons d'un geste :

– Tous les éléments sont là. Maintenant, il faut les assembler, les articuler, les solidariser pour créer un organisme vivant, intelligent, tonique.

Il s'interrompit de nouveau et sourit :

– En attendant, au travail !

– Déjà ? gémit Frank Spencer.

– Tu n'es pas impatient de faire partie des titulaires ?

– Si, bien sûr, dit le défenseur. J'en ai ma claque de la figuration.

– Pourtant ça te va très bien, railla Julien.

Gio repartit au sprint pour clore la discussion : ce genre de provocation risquait toujours de dégénérer.

Après avoir regagné le terrain, il leur accorda dix minutes de repos avant de passer aux exercices habituels : duels pour la conquête du ballon, résistance au retour d'un adversaire, couverture de balle, contrôles orientés en mouvement, amortis, changement de rythme, technique de dribble et de débordement, frappe de la tête, tir de volée. Dans ces différents domaines, Xavier et Morgan se distinguaient. Gaby, adroit d'ordinaire, collectionnait les maladresses, ce jour-là.

— Tu as des problèmes, champion ? s'inquiéta Turan.

Comme Xavier traitait Gaby de pantin, l'avant-centre prit sa défense :

— On te verra pendant le match !

L'ailier sourit avec un air de défi :

— Je marque plus que toi, tu paries ?

— Ça me ferait mal !

— Très mal, ça va te faire très mal, ricana Xavier.

Gio s'empressa de mettre un terme à cette provocation stupide en annonçant la composition des deux équipes de sixte. Gaby fut déçu : d'une part il se retrouva dans le camp de Xavier et de Jonathan, opposé à Turan et Morgan ; d'autre part, dès le début de la rencontre, un déluge s'abattit sur le terrain. Il détestait la pluie qui l'aveuglait, et alourdissait le ballon.

Quelques minutes après le coup d'envoi, en voulant servir Jonathan, il offrit la balle à un adversaire. Puis il marcha sur le ballon et s'étala. Xavier et Jonathan l'insultèrent. Perdant son calme, il faillit corriger les deux frimeurs. Il se retint, cependant. Il n'était vraiment pas dans son assiette. Ce n'était pas la fatigue – il courait sans effort – mais un manque de réflexe. Seul devant les buts, il vit arriver la balle. Le gardien était battu. Il suffisait de pousser le ballon dans les filets ; il le manqua. Ses adversaires menaient

4 à 0 en grande partie par sa faute. Turan avait marqué à deux reprises. Xavier, rageur, perdait son pari.

En deuxième mi-temps, Gaby demanda à sortir. Ronald le remplaça. Aussitôt, le match devint plus équilibré. Xavier marqua un but magnifique qui le consola partiellement de sa défaite. Turan triompha :

— La classe a parlé !

Il bouscula Gaby :

— 4 à 1, c'est le score que tu as annoncé. Rassure-moi, mec, tu parlais bien du match de Trets, pas de celui d'aujourd'hui ?

— Ni de l'un ni de l'autre. Tu ne vas pas croire à ces idioties ?

— 4 à 1, ce qui est dit est dit ! gloussa l'avant-centre.

— Si Gaby ne joue pas dimanche, on a des chances, persifla Xavier. Sinon, adieu la victoire !

— Si j'étais toi, je me tairais, intervint l'entraîneur. Je n'apprécie pas ton état d'esprit. Chaque match est un combat. Aucune victoire n'est acquise, aucune défaite non plus. Tout dépend de la volonté des joueurs, de leur entente. C'est pourquoi tu ne joueras peut-être pas dimanche. Il te manque une chose essentielle.

— Laquelle ?

— La générosité.

— Je plaisantais, grommela l'ailier.

— Pas moi !

La colère de Gio se déversa ensuite sur Gaby :

— Quant à toi, arrête avec tes prédictions stupides !

Le milieu de terrain se contenta d'incliner la tête en signe d'assentiment.

— Trets est une équipe solide, poursuivit l'entraîneur. Dix joueurs sur onze étaient déjà là la saison passée. Ils ont fait leurs preuves. Ce n'est pas votre cas.

— Une bande de durs ! confirma Ronald.

Le milieu de terrain savait de quoi il parlait : il les avait affrontés six mois auparavant.

— Vous êtes capables de l'emporter, poursuivit Gio, à condition d'être très rigoureux. Si vous menez, pas d'euphorie. Si vous perdez, pas d'affolement. Battez-vous jusqu'à la dernière minute. Faites-moi plaisir !

Cette phrase, l'entraîneur la prononçait depuis quinze ans. Elle avait un étrange pouvoir. En l'entendant, les joueurs se surpassaient.

Gaby l'entendait pour la première fois, mais elle lui donna soudain des ailes : « Dimanche, songea-t-il, je vais déchirer ! »

MIRAVAL
0:7

Le soleil réchauffait la terrasse. Gaby avait installé Louise à l'ombre du platane, l'unique arbre de leur petit jardin. Il s'inquiéta :

– Tu n'as pas froid, Loulou ?

La fillette haussa les épaules :

– Avec ce que j'ai sur le dos ? Et ne m'appelle pas Loulou !

Au début de la semaine, une angine, accompagnée d'une poussée de fièvre, l'avait obligée à garder le lit. À présent, elle allait mieux, pas assez cependant pour accompagner ses parents sur la côte. Jean-Louis et Hélène allaient passer le dimanche avec des amis sur l'île de Porquerolles.

Gaby avait proposé de garder sa sœur, renonçant ainsi au match de Trets.

Il consulta sa montre : quinze heures ! La rencontre était commencée. Ses coéquipiers devaient se battre comme des lions, pendant que lui…

Il posa ses cartes sur la table de poker d'un air mélancolique.

— Je te pourris la vie, soupira Louise.

— Arrête !

— Tu devrais être au stade, au lieu de jouer à la baby-sitter.

— Tu es une sacrée emmerdeuse, c'est vrai… Hé ! n'en profite pas ! Remets cet as où tu l'as pris !

Elle ouvrit de grands yeux innocents :

— Il n'était pas dans mon jeu ?

— Tu parles ! Tu triches !

— Je vérifiais seulement si tu t'intéressais à la partie.

— Tu es vraiment gonflée ! grommela-t-il.

Elle jeta ses cartes sur le tapis :

— C'est rasoir, le poker, si on ne triche pas ! D'ailleurs, c'est l'heure du match.

— Quel match ?

— Lyon-Bordeaux, à la télé.

— J'avais oublié.

— Tu n'as pas envie de le regarder ?

— Si, bien sûr.

Sa voix était morne. Il aurait mieux aimé être

à Trets, avec son équipe. Et Louise aurait préféré être au stade, applaudir, hurler, trépigner, bondir comme les autres, sans cette affreuse chaise roulante. Être libre, normale, entière. Une fille avec des jambes !

— Je vais me débrouiller, dit-elle avec irritation, quand il voulut la pousser vers le salon.

En franchissant le seuil de la porte-fenêtre, elle accrocha sa roue droite au rideau. Gaby la laissa se débattre. Il avait déjà allumé la télé, disposé leur pique-nique sur une table basse, à portée de main. La pizza était découpée sur une planche ronde, près d'un panier de prunes du jardin. Louise raffolait des reines-claudes.

— Tu es une vraie nounou, railla-t-elle.

Sa crise de désespoir avait disparu. Elle regardait son frère, son mètre quatre-vingts, ses cheveux longs qui lui donnaient l'air romantique, et songeait qu'il n'y avait pas au monde de garçon plus gentil.

Sur le petit écran, les deux équipes faisaient leur entrée. Louise et Gaby s'installèrent face au récepteur.

Dès le coup d'envoi, Louise s'anima. Elle commentait le jeu avec une telle drôlerie que Gaby avait toutes les peines du monde à garder son sérieux. Elle avait l'art de trouver des formules irrésistibles. Dans sa bouche, le stade devenait un zoo, l'arbitre un monstre de film d'épouvante, le ballon un génie, les spectateurs des vautours.

– Arrête ! supplia Gaby en recrachant sa pizza.

Mais rien ne pouvait réduire la fillette au silence.

– Je ne risque pas de t'emmener au stade, grogna-t-il.

– Tu as juré !

– Alors tu dois jurer de te taire.

– Pas un mot.

– Mon œil !

À son rire contenu, il voyait qu'elle ne pourrait pas s'empêcher de lâcher ses commentaires désopilants.

Il secoua la tête d'un air rogue :

– Tu es incorrigible !

Le match était presque terminé lorsqu'on sonna à la porte.

– Qui ça peut être ? s'étonna Louise.

– Les voisins ameutés par tes hurlements ! plaisanta Gaby.

– Des clous ! Nos voisins m'adorent. C'est peut-être les Taillandier, ils sont lyonnais. Je parie qu'ils apportent du champagne pour fêter leur victoire !

En ouvrant la porte, Gaby fut étonné de découvrir Turan, Julien, Hugues et Morgan. C'était la première fois que ses amis venaient à la villa. Ils n'étaient même pas censés connaître son adresse. Ils l'entourèrent, survoltés, parlant tous à la fois :

— On a gagné, mec !

— Devine combien ?

— 4 à 0, juste ce que tu avais annoncé.

— Il avait dit 4 à 1, rectifia Morgan.

Turan bomba le torse :

— Trois buts pour moi, le compte est bon.

— C'est génial ! s'écria Gaby tout joyeux.

— C'est magique, plutôt, gloussa Julien.

Il s'interrompit en voyant Louise s'avancer dans son fauteuil roulant.

— Salut, les champions ! lança-t-elle.

— Loulou, ma petite sœur, présenta Gaby.

— Louise, corrigea-t-elle.

Julien lui fit la bise :

— Moi, c'est Julien.

— Le gardien, dit-elle.

Les autres s'avancèrent.

— Moi, c'est Turan.

— L'avant-centre, dix-huit buts la saison passée.

Le Sénégalais serra la petite dans ses bras.

— Tu es vachement renseignée !

— Attention, fragile, gémit-elle en grimaçant entre ses bras musclés.

— Excuse-moi.

Hugues, amusé, caressa les boucles de la fillette :

61

— Et moi ?

— Comment tu t'appelles ?

— Hugues.

Elle se mordit la lèvre, puis s'exclama :

— Le libero ! Tu es nouveau. L'année dernière, tu jouais au FC de Saint-Rémy.

Hugues se tourna vers Gaby qui riait de bon cœur :

— Je suis scié !

— Elle a une mémoire d'éléphant ! Elle serait capable de vous réciter les noms des quatre cents joueurs de première division.

— Tu devrais venir au stade, lui conseilla Turan.

Louise pinça le bras de son frère :

— Tu as entendu ? Je devrais venir au stade.

— Moi aussi, râla Gaby.

— Au fait, pourquoi tu n'étais pas là ? demanda Julien.

— C'est dommage !

— Tu te serais éclaté, mec.

— Un vrai festival ! jubila Turan.

— C'est ma faute, intervint Louise. Il paraît que je suis trop petite pour me débrouiller toute seule.

Gaby haussa les épaules d'un air maussade :

— Tu es malade.

Il poussa ses amis vers le salon :

— Allez-y, racontez-moi.

Turan fit claquer son poing sur la paume de sa main :

– On les a dynamités. Premier but à la troisième minute.

– Un exploit de Morgan.

– C'est toi ? demanda Louise au plus discret des quatre visiteurs.

Elle admira ses pommettes hautes, ses yeux bridés et ses cheveux aile de corbeau qui lui donnaient une allure d'indien. Il se contenta d'un sourire approbateur.

– Il paraît que tu dribbles à la manière de Franck Ribéry ! s'extasia-t-elle.

– Qui c'est, celui-là ? plaisanta Julien.

Louise commença un long discours sur la carrière du Français, héros du Bayern de Munich. Les garçons l'écoutaient, amusés et sidérés. Ils n'avaient jamais rencontré de fille comme elle, aussi jeune, mignonne, fragile, et douée d'une énergie et d'une vivacité d'esprit étourdissantes. Ils en oubliaient son infirmité.

– Il reste de la pizza, ça vous dit ? proposa Gaby.

– On est venus pour ça, rigola Julien.

Gaby disparut dans la cuisine. Turan fit un clin d'œil à Louise :

– Tu sais que ton frère est un peu sorcier ? Je t'assure : il a prédit le résultat de nos trois premiers matchs, même le score.

Louise secoua ses boucles :

– Tu ne crois pas à ces bêtises, quand même ?

—Non, bien sûr.

—Si, tu y crois !

Elle éclata de rire. Comme Turan se vexait, elle ajouta :

—Tu n'es pas le seul à te laisser prendre à ses histoires. L'an passé, il m'a fait croire qu'il apprenait le chinois. Il y avait une émission télé, un reportage sur Pékin. Gaby traduisait à mesure. C'était tellement vrai, tellement logique, que je l'ai cru. En fait, il ne connaît pas un mot de chinois. Une autre fois, il m'a raconté que si je jouais au Bingo, j'allais gagner cent euros. Je l'ai écouté et j'ai gagné. Deux jours plus tard, il m'a apporté l'argent : cent euros, comme il l'avait annoncé.

—Tu plaisantes ?

—Cent euros, je te jure. Sauf que je n'avais rien gagné du tout : il m'avait offert une partie de ses économies. C'est pas magique, ça ?

—Qu'est-ce qui est magique ? demanda Gaby en posant une pizza sur la table.

—Ta petite sœur, dit Turan en riant. Je veux la même.

—Tu peux l'emporter, grogna Gaby. J'en ai marre de me taper des dessins animés et de perdre au poker.

—Tu joues au poker ? s'étonna Hugues.

Gaby ricana :

—Un conseil : ne joue pas contre elle. Elle triche comme un pro de Las Vegas.

Michaël se glissa au milieu de ses coéquipiers avec un air de conspirateur. Il désigna le banc de touche :

– L'homme qui discute avec Gio, vous savez qui c'est ?

Ils jetèrent un coup d'œil au personnage en question : avec ses cheveux en brosse, son sourire sarcastique, sa mâchoire carrée et sa combinaison de parachutiste, il faisait penser à un héros des *Aventuriers de l'Arche perdue*.

– Un mercenaire de l'Angola ? suggéra Morgan.

– Harrison Ford, décréta Turan.

La paume des deux joueurs se rencontrèrent avec un claquement sonore.

—C'est Béraud, Lucien Béraud, chuchota Michaël.

Comme les autres le regardaient avec indifférence, il précisa :

—L'ancien international de l'OL, du Real et de l'Inter.

—Et après ? renifla Xavier.

—C'est le sélectionneur national. La Coupe d'Europe des cadets, vous connaissez ? Il est ici pour repérer des champions.

Yann plissa les yeux :

—C'est un gag ?

—Absolument pas : Patrick m'a refilé cette info.

Patrick Lebrun, cousin de Michaël, était le nouveau président du club sportif de Miraval.

—C'est maintenant que tu nous l'annonces ? s'exclama Julien.

—J'ignorais qu'il viendrait aujourd'hui.

—Il a mal choisi son jour, grommela Xavier.

Ils étaient vautrés sur la pelouse, éprouvés par un entraînement plus intensif que d'ordinaire.

—Je n'ai plus de jambes ! gémit Frank.

—Tu n'en as jamais eu, gloussa Éric.

Ils se levèrent l'un après l'autre, s'étirèrent, recommencèrent à courir en douceur, échangèrent des balles. Les gardiens prenaient position dans les buts quand Gio annonça le match de sixte et forma les équipes :

—Équipe A : Julien, Diego, Nick, Fabrice, Xavier et Turan. Équipe B : Damien, Hugues, Michaël, Ronald, Gaby et Morgan.

—B, ça signifie deuxième choix ? bougonna Michaël.

—À toi de répondre pendant le match, répliqua l'entraîneur.

Il expédia Yann, Éric, Jonathan, Serge et Cyril hors du terrain en précisant :

—Vous entrerez en cours de partie.

Les joueurs observaient le sélectionneur en douce sans pouvoir s'empêcher de rêver : jouer en Coupe d'Europe, c'était la gloire. Mais il y avait des centaines et des centaines de cadets et seulement vingt-deux sélectionnés. « Turan, c'est sûr, calculaient-ils. Peut-être Julien, le meilleur gardien du championnat. Les autres… »

Patrick n'aurait pas dû les renseigner : au signal de Gio, ils tentèrent de briller sous le regard attentif du sélectionneur, et firent l'inverse : paralysés par l'enjeu, ils manquaient d'audace, perdaient leurs moyens. En voulant s'appliquer, ils pratiquaient un jeu étriqué, rataient leurs passes, tiraient trop précipitamment. Ils s'énervaient.

Gio ramenait le calme, dispensait critiques et conseils comme s'il s'était agi d'un match ordinaire ou d'un simple exercice.

Grâce à lui, peu à peu, ils se libérèrent et retrouvèrent le plaisir de jouer. Turan marqua le premier à la faveur d'une reprise de volée un peu hasardeuse qui aboutit dans les filets.

Puis Gaby et Morgan réagirent à leur tour. Leurs passes bien coordonnées aboutissaient à des situations dangereuses. Soudain, tout leur semblait possible, facile, logique. Dans un même élan, Gaby dribbla Nick et Diego avant d'offrir le but à Morgan. 1 à 1.

Cinq minutes plus tard, il battit Julien d'une tête magnifique. Son repos forcé du dimanche précédent décuplait son énergie. Il aurait pu continuer à jouer au même rythme pendant quatre-vingts minutes si Gio ne l'avait pas remplacé par Cyril à la mi-temps.

Xavier, lui, dut laisser sa place à Jonathan. Il obéit à contrecœur, estimant sa sortie injustifiée. Il avait pourtant fort mal joué, se perdant dans des dribbles superflus et se heurtant à un Hugues impérial.

Jaloux et vindicatif, l'ailier chercha quelqu'un pour épancher sa mauvaise humeur. Comme Damien félicitait Gaby, l'ailier s'en prit à ce dernier avec une ironie désagréable :

— Tu te vois déjà en équipe de France, pas vrai ?

Gaby haussa les épaules :

— Pas plus que toi.

— Tu devrais le savoir.

– Ah oui ?

– Un sorcier comme toi.

Gaby dédaigna de répondre. Il observait les deux équipes qui s'enlisaient inexplicablement dans un jeu statique, ranimé par de rares éclairs offensifs de Turan.

– Et pour notre prochain match, quel est ton pronostic ? insista Xavier.

Gaby lui lança un regard agacé :

– Lâche-moi !

– On joue contre qui ? s'informa Damien.

– Saint-Pierre-de-Croix.

– La lanterne rouge, railla Serge.

Saint-Pierre-de-Croix venait de faire son entrée dans la compétition pour la première fois. Ses joueurs étaient novices, son entraîneur, prof de tennis, ne connaissait rien au foot, et l'équipe était une proie facile.

– On a planté quatre buts à Trets. Là, c'est du huit à zéro, dit Xavier.

Gaby n'écoutait plus les vantardises de l'ailier. Il regardait le sélectionneur qui applaudissait Turan, auteur d'un but digne d'un pro. Et il se réjouissait pour son ami : « Il est bon pour l'équipe de France. Il le mérite, c'est vraiment lui le meilleur ! »

– Allez, champion, encore un ! lui cria-t-il.

– C'est à moi que tu t'adresses ? plaisanta Xavier.

69

– C'est ça, oui !

– Dimanche, je mets trois buts, on parie ?

– Tu marqueras que dalle, comme d'habitude, ricana Gaby.

– Alors parie, qu'est-ce que tu risques ?

– Je parie qu'on perdra 1 à 0 et que toi, bouffon, tu seras blessé. Pas gravement, je te rassure. Juste ce qu'il faut pour être viré du terrain et nous ficher la paix.

Les remplaçants s'esclaffèrent. Xavier grommela :

– Tu me paieras ça !

Gaby s'efforça d'oublier l'incident. Ce qu'il avait sorti n'était pas très malin, mais l'autre l'avait poussé à bout. Il aurait l'occasion de faire la paix avec lui d'une manière ou d'une autre. En attendant, sa prédiction servirait à conjurer le mauvais sort : perdre contre Saint-Pierre-de-Croix était invraisemblable.

Au même instant, Turan sortit du terrain en laissant sa place à Serge. Il se laissa tomber dans l'herbe en gémissant :

– Je suis cassé !

– Tu m'étonnes, rigola Gaby. Vise un peu : depuis que tu n'es plus là, les mecs roupillent sur le terrain.

– Ils sont crevés : Gio a trop forcé sur le « sentier des chèvres ».

Ses coéquipiers l'approuvèrent :

−Quatre bornes à travers les collines. Après ça, il voudrait qu'on fasse du foot !

−Impossible de taper dans un ballon, grommela Ronald.

−On va même perdre dimanche, annonça Xavier.

Turan leva les yeux au ciel :

−Contre Saint-Pierre ? On n'est pas si nazes !

−C'est le grand magicien qui l'a prédit.

Partagé entre le rire et l'incrédulité, Turan regarda Gaby :

−Toi ?

−J'ai dit ça pour le faire taire. Tu vois, c'est raté, soupira Gaby.

Ronald pointa soudain le doigt vers le banc de touche :

−Où il est passé ?

Ils cherchèrent de tous les côtés pour se rendre à l'évidence : le sélectionneur avait quitté le stade avant la fin du match. Gaby asséna une claque sur l'épaule du Sénégalais :

−Turan sorti du terrain, il n'y avait plus rien à voir.

Ils étaient plus nombreux que d'habitude dans le jardin d'hiver de *La Pagode*. Ce jour-là, Xavier et Diego s'étaient joints à eux. Il y avait aussi une amie de Marie-Laure, Esther, élève d'un cours privé.

–Louise est vraiment géniale, dit Morgan.

Gaby sourit :

–Elle est gentille, intelligente, et quelquefois insupportable.

Turan ouvrit la bouche pour protester, se ravisa, puis finit par sourire :

–En tout cas, on ne s'ennuie pas avec elle. Elle est craquante.

Au même instant, les filles, qui s'étaient attardées en compagnie de Madeleine, vinrent se mêler au groupe des garçons.

—Qui est craquante? demanda Lucie avec curiosité.

Julien allait répondre quand Turan le devança en faisant un clin d'œil à ses amis :

—Louise, la petite copine de Gaby.

—Louise Mazellier? lança Marie-Laure.

—Pas cette tarte, non, pouffa Olivier.

Flo fronça les sourcils :

—Qui alors? On la connaît?

—Je ne crois pas, dit Gaby.

Marie-Laure se pencha vers Hugues :

—Et toi, tu l'as rencontrée?

—Je l'ai vue dimanche dernier. Elle est vachement mignonne, avec un QI incroyable : elle en sait plus sur le foot que nous tous réunis.

—Une sportive! conclut Lucie.

Les garçons échangèrent des regards embarrassés.

—Normal qu'elle soit si douée, railla Virginie, avec un pareil champion pour copain!

La plaisanterie était méchante. Xavier fut le seul à s'esclaffer.

—Il paraît qu'il va faire partie de l'équipe de France, poursuivit Virginie impitoyable.

Gaby plissa le front, partagé entre la gêne et la colère :

– C'est de moi que tu parles ?

– Il n'y a pas d'autre star ici, que je sache !

Gaby se demandait pourquoi la jeune fille se montrait aussi agressive avec lui. C'est tout juste s'ils avaient échangé quelques mots depuis deux semaines. Chaque fois, ils s'étaient chamaillés.

– Si Béraud sélectionne un mec, ce sera Turan, dit-il. Il a été fantastique et a marqué deux buts à la Ronaldo.

– Je ne parlais pas de tes références sportives, dit Virginie avec un sourire malicieux, mais de ton allure.

– Mon allure ?

– Charly Fool ! s'esclaffa Xavier.

– C'est assez ressemblant, approuva Virginie.

Charly Fool, ou Charly le Nigaud, célèbre héros d'une BD et d'un film d'animation, avait été changé en épouvantail par une sorcière. Cette fois, les autres sourirent. Avec sa maigreur, ses cheveux noirs qui lui tombaient sur les yeux, et son pull dix fois trop grand pour lui, Gaby faisait penser au personnage en question. Sa colère allait s'abattre sur Xavier qui le narguait lorsque Florence posa une main apaisante sur son bras et lui chuchota :

– Elle dit ça parce qu'elle est jalouse.

– Qui ça, Virginie ? Elle ne peut pas me saquer !

– Tu n'as rien compris : elle est furax depuis que vous avez parlé de Louise.

Il fut pris d'un rire silencieux :

– Louise, mais…

Il allait avouer que la petite copine en question était sa propre sœur quand il vit Morgan et Virginie bavarder à voix basse. La jeune fille souriait, et son sourire dessinait deux fossettes au creux de ses joues. De temps en temps, d'un geste gracieux, elle repoussait une mèche blonde qui lui tombait sur le front. Devant tant de beauté, Gaby sentait son cœur s'affoler et il se disait tristement : « Pourquoi elle n'est jamais aussi tendre avec moi ? » La réponse, il l'avait sous les yeux : Morgan était beau tandis que lui-même ressemblait à un épouvantail.

En même temps, il ne pouvait s'empêcher de songer à ce que lui avait dit Flo. Si elle avait raison ? Si Virginie était jalouse ? L'idée était incroyable, mais tentante… Il aurait aimé aller s'asseoir à côté d'elle et s'excuser. S'excuser de quoi au juste ? Le risque d'être repoussé, ridiculisé devant les autres le retint.

« Je vais les accompagner au ciné, pensa-t-il. Là, je trouverai un moyen de lui parler gentiment et de me réconcilier avec elle. Je lui dirai que Louise est ma sœur. » Pour un sourire d'elle, un de ces sourires qu'elle adressait en ce moment à Morgan, il aurait donné ce qu'il avait de plus précieux : sa collection de disques ou bien sa place de titulaire dans l'équipe. En attendant, c'est à Morgan qu'elle continuait à sourire. On aurait dit que personne n'existait en dehors de lui. Ils se penchaient l'un vers l'autre, les yeux dans les yeux, les cheveux blonds effleurant les cheveux noirs.

Gaby sentit la morsure de la jalousie, d'autant plus que Morgan n'était pas seulement beau, il était gentil. S'il s'était agi de Xavier, Gaby aurait pu au moins les traiter par le mépris et les oublier. Avec Morgan, c'était impossible. Il ne pouvait que souffrir en silence.

Pendant que Gaby observait leur manège à la dérobée, les autres s'étaient mis d'accord : ils iraient voir un western : *Trois heures dix pour Yuma*, avec Russel Crowe.

– C'est parti ! annonça Turan en se levant.

Ils se cotisèrent pour régler l'addition. Quand Madeleine eut encaissé et qu'ils eurent réuni leurs affaires, Virginie annonça qu'elle ne les accompagnait pas.

– Morgan et moi, on va au bowling !

– Je croyais que tu n'aimais pas ça ? s'étonna Marie-Laure.

– J'ai changé, tu vois.

– Je vois, dit Flo avec aigreur.

– Déserteurs ! cria Hugues.

Gaby, mélancolique, vit la jeune fille qu'il aimait passer la porte et s'éloigner au bras d'un rival qu'il ne pouvait s'empêcher d'apprécier.

Xavier le prit à témoin :

—Joli couple, non ?

« Il a raison, pensa Gaby. Virginie est beaucoup mieux assortie à lui qu'à Charly Fool. » Il aurait bien aimé rentrer chez lui, mais il ne pouvait pas abandonner ses amis. Pour une fois qu'il avait accepté de les accompagner au *Rex* ! Il assista donc stoïquement à la séance. Le film terminé, il aurait été bien en peine de raconter l'histoire. Par chance, les autres étaient si bavards qu'il put se contenter de les écouter sans prononcer une parole.

Une heure plus tard, en voyant sa mine défaite, Louise s'inquiéta :

—Qu'est-ce qui s'est passé ?

—Rien.

—Tu as mal joué ?

—L'entraînement, c'est le mercredi, pas le vendredi.

—Tu t'es encore disputé avec Virginie ?

Elle battit en retraite devant son regard furieux :

—Je sais, c'est pas mes oignons !

Comme il restait hostile et silencieux, contrairement à son habitude, elle sentit que sa tristesse était réelle, et elle essaya de le distraire :

—Tes amis sont trop ! Surtout Morgan.

Il la dévisagea avec curiosité en se demandant si elle lisait dans ses pensées.

—Pourquoi Morgan ?

—Il est mignon, et très doux.

—Tu as du travail ? coupa-t-il avec humeur.

—Une rédaction, un devoir d'anglais, une recherche sur les invasions barbares… Myriam a décidé d'avoir ma peau.

—Par quoi tu veux commencer ?

—Par rien du tout, je suis gavée : on travaillera dimanche.

—Dimanche, je joue à Saint-Pierre-de-Croix.

—Demain alors.

Il grommela, maussade :

—Comme tu voudras.

—On regarde un film ?

—J'en sors, du ciné !

—Qu'est-ce que vous avez vu ?

—Un western, une stupidité, murmura-t-il, évasif.

—Lequel ?

—*Trois heures pour* quelque chose.

—*Trois heures dix pour Yuma*, avec Russel Crowe et Christian Bale, tu appelles ça une stupidité ? s'indigna-t-elle. C'est le remake d'un film ancien, mais c'est génial. Il paraît que l'affiche est somptueuse !

Elle s'animait, les joues en feu. Agacé, il maugréa :

—Tu n'avais qu'à y aller à ma place.

—J'aurais bien aimé !

79

Bien que sa repartie fût dénuée d'amertume, il éprouva un sentiment de culpabilité. Il n'aurait jamais dû dire une chose pareille. Il avait oublié combien sa petite sœur devait regretter parfois de ne pas sortir avec ses amis, aller au café, au ciné, faire du vélo.

—Qu'est-ce que tu as envie de voir? demanda-t-il avec douceur.

—Ça m'est égal. Mets *Le seigneur des anneaux, Le retour du roi.*

Pendant qu'il fouillait dans la vidéothèque, elle se ravisa :

—Non, plutôt *Rabbi Jacob.*

—Faudrait savoir !

Elle pouffa :

—Tu sais bien que les filles ne savent pas ce qu'elles veulent, surtout les blondes.

À son regard malicieux, il comprit qu'elle s'était renseignée au sujet de Virginie.

—Comment tu sais qu'elle est blonde ?

—Par mon espionne.

—Viviane ? Qu'est-ce qu'elle t'a raconté d'autre, cette bavasse ?

—Qu'elle était *glamour.*

Il leva les yeux au ciel :

—Glamour ! Où tu as piqué ça ?

—Dans *Desperate Housewives.*

—Traduction ?

—Canon, un visage d'ange, de jolies jambes.

À l'évocation des jambes de Virginie, il vit passer une nuance de détresse dans les yeux de la petite et se dépêcha d'introduire le film de De Funès dans le lecteur. Au bout de cinq minutes, elle se mit à rire comme une folle. Un rire d'enfant, communicatif, qui réconforta l'amoureux mélancolique.

La pluie, portée par le vent, fouettait les
visages des joueurs et noyait la pelouse de Saint-
Pierre-de-Croix. Pelouse était un bien grand mot
pour désigner le terrain délimité par une barrière
blanche à la manière d'une prairie normande.
Aux extrémités, il y avait deux buts rudimen-
taires, simples cadres sans filet, où le ballon
pénétrait avant de se perdre dans l'herbe des prés
voisins. Pas de tribune, un abri avec un toit de
tuiles brunes supporté par des piliers de bois,
sous lequel trois chevaux étaient venus se réfu-
gier pour échapper à la pluie.

Gaby observait les bêtes qui semblaient tendre

leurs têtes pour assister à l'échauffement des joueurs.

—Vise un peu les supporters ! plaisanta Turan.

Yann secoua la tête en riant :

—Drôle de stade !

—Un peu rustique.

Diego arracha une poignée d'herbe et la porta à sa bouche :

—Que le meilleur troupeau gagne !

—Voilà notre berger ! annonça Gaby.

L'arbitre arrivait, le visage levé vers le ciel orageux. Il se pencha pour examiner le sol et s'estima satisfait : le match aurait lieu ! L'air réprobateur de Gio prouvait qu'il n'était pas du même avis : le terrain était carrément inondé.

—Tu parles d'un match de foot ! rumina Gaby.

Julien rejeta ses cheveux trempés en arrière :

—Une partie de water-polo, les mecs !

La rencontre commença en douceur, comme si les deux équipes continuaient à s'échauffer ou si elles attendaient l'interruption du match à cause de la pluie qui avait redoublé de violence.

Pendant quelques minutes, Miraval intensifia son rythme et commença à s'imposer, puis le match s'enlisa. Depuis l'abri, déserté par les chevaux, Gio et les trois remplaçants regardaient avec résignation le combat qui se déroulait au ralenti.

– Pourquoi, il n'arrête pas le massacre ? soupira Ronald.

Gio, à qui il s'adressait, n'eut pas l'air d'entendre. Il observait ses attaquants et appréciait leur courage.

Turan partit à la limite du hors-jeu à l'instant précis où Gaby frappait du pied droit. Deux gestes bien coordonnés. La balle destinée à l'avant-centre, freinée par une flaque, acheva sa course dans les pieds d'un défenseur qui n'en demandait pas tant.

– Une vraie mélasse ! fulmina le Sénégalais.

Depuis près d'une demi-heure, il se battait contre la pluie, le vent, la boue, et il commençait à faiblir. À son actif, un seul tir, une balle écrasée que le gardien n'avait eu aucun mal à bloquer. Malgré son horreur de la pluie, Gaby s'en tirait plutôt mieux que les autres. À trois reprises, il avait été sur le point de marquer. Mais ce jour-là, la chance n'était pas dans le camp de Miraval.

– Montez !

Du rond central, Gaby fit signe à ses partenaires. Xavier s'envola sur la droite. Cette fois, la passe loba la défense de Saint-Pierre pour atterrir devant l'ailier qui contrôla avec adresse, se défit d'un adversaire et centra. Gaby avait suivi l'action. Devançant le gardien, il reprit de la tête. Le ballon passa sous la transversale.

– But !

Gaby leva les bras. Turan, Morgan et Xavier se précipitèrent sur lui. Ils l'empoignèrent, l'étouffèrent dans un déferlement de joie. Leur enthousiasme s'éteignit brusquement : l'arbitre refusait le but.

— Hors-jeu !

— Impossible ! hurla Xavier.

Il désigna l'endroit où était parti son centre, à quelques centimètres de la ligne. Comme l'arbitre lui tournait le dos, l'ailier lui saisit le bras et le fit pivoter.

— Tu m'écoutes, oui ?

— Calme-toi ! ordonna l'homme en noir.

Pour toute réponse, l'ailier shoota dans le ballon qu'un défenseur de Saint-Pierre venait de placer à l'endroit indiqué par l'arbitre. Celui-ci, furieux, mit la main à sa poche et brandit un carton jaune. Turan repoussa Xavier :

— Laisse tomber, mec. Ce match, c'est n'importe quoi !

Le gardien, qui était allé récupérer le ballon dans le pré voisin, le plaça à huit mètres de ses buts et prit de l'élan. Gaby, trop fatigué pour réagir, regarda la balle s'élever puis sortir en touche, déportée par une bourrasque.

Les joueurs piétinaient. Les maillots bleus de Miraval et les maillots blancs de Saint-Pierre se confondaient en une teinte brune uniforme. Gio, sorti de son abri, arpentait la ligne de touche en criant ses consignes comme en plein soleil. Pourtant trempé de la tête aux pieds, l'homme semblait de pierre.

« J'aimerais lui ressembler ! » songea Gaby. Il avait perdu son bandeau. Ses cheveux longs se collaient à son visage. Ses chaussettes lui tombaient sur les chevilles.

Un adversaire fonça dans sa direction. Gaby coupa sa trajectoire, anticipa son dribble, le repoussa d'un coup d'épaule et s'empara du ballon. Le sifflet de l'arbitre stoppa net son élan.

– Coup franc !

Gaby recula, résigné, puis il revint : la pénalité était en sa faveur ! Drôle d'arbitre, aussi désorienté que les joueurs. On pouvait tout attendre d'un homme qui avait autorisé le match dans ce lac de boue.

Gaby plaça son ballon et fit signe à ses partenaires :

– Montez !

Il prit de l'élan et shoota de toutes ses forces. Renvoyée par le mur, la balle échoua dans les pieds de Turan. L'avant-centre armait son tir quand l'arbitre siffla la mi-temps. De rage, le Sénégalais balança la balle dans le champ voisin sans provoquer la moindre réaction.

– Ce match, c'est vraiment n'importe quoi ! marmonna-t-il.

—Je ne te le fais pas dire, répliqua Gio avec sévérité.

—C'est ma faute peut-être ?

—À ton avis ?

—À mon avis, le responsable, c'est cet abruti qui nous fait jouer dans un marécage !

La pluie avait cessé. Le vent d'une tiédeur étrange redoublait de violence.

—La décision appartient à l'arbitre, précisa Gio. Le match ira jusqu'à son terme. Alors, si vous voulez gagner, cessez de faire le jeu de votre adversaire. Finissez-en avec les passes longues. Le vent les emporte. Et le terrain glissant interdit les crochets et les changements de rythme. Jouez court et rapide. Toujours un ou deux joueurs en soutien.

Il leur détailla ensuite les défauts de leurs adversaires, leurs points faibles. Il avait tout analysé, joueur par joueur, geste par geste. Cet exposé eut l'intérêt de leur redonner confiance. Malgré les conditions de jeu défavorables, Saint-Pierre était à leur merci. Il leur suffisait de mettre en œuvre la nouvelle tactique fondée sur un jeu plus collectif.

Morgan frappa dans ses mains :

—Allez, les mecs, ce match, on le gagne !

—Encore faut-il que cet abruti ne nous refuse pas tous les buts ! râla Turan.

—Il n'y avait pas de hors-jeu, confirma Gaby.

Gio balaya leurs protestations d'un geste impérieux :

—Inutile de pleurnicher ! Battez-vous, et jusqu'au bout. Vos adversaires sont plus mal-en-point que vous.

—Qu'est-ce que ça doit être ! gémit Yann qui souffrait de crampes.

L'arbitre siffla la reprise. Gio vit ses joueurs regagner leurs places en conquérants. Le vent chassait les nuages noirs. Un soleil timide apparaissait puis disparaissait presque aussitôt. L'ombre et la lumière se succédaient à une vitesse étonnante, modifiant les perspectives et gênant les gardiens.

La première offensive, au crédit de Miraval, faillit se concrétiser par un but. Turan effectua un contrôle orienté sur Morgan qui passa en retrait à Gaby. Celui-ci effaça le libero et glissa à Xavier. Le tir de l'ailier frôla le montant droit avant de finir en sortie de but.

Au bord du terrain, Gio approuva à mi-voix :

—Comme ça, oui, continuez !

Une nouvelle attaque, menée par Michaël le long de la touche, trouva Turan à une dizaine de mètres des buts. Le shoot puissant de l'avant-centre passa au-dessus du cadre.

—Trop précipité ! commenta l'entraîneur. Prends ton temps.

Cependant les offensives étaient dangereuses et l'énergie des joueurs contrastait avec la timidité de la première période. Les défenseurs de Saint-Pierre, acculés à leur but, subissaient le jeu. Ils faiblissaient, ils allaient s'effondrer. Puis, alors que Miraval croyait à la victoire, au bout de vingt-cinq minutes intenses, le rythme faiblit. Les actions devinrent plus lentes, les passes imprécises, les dribbles laborieux.

Gio avait beau inciter ses joueurs à jouer plus haut, ils restaient en retrait. Leur jeu était statique. Certains n'avaient plus la force de courir ; d'autres, exaspérés par la stérilité de l'attaque, perdaient leur calme.

Il restait un peu moins de dix minutes lorsque Xavier, débordant l'arrière gauche, obliqua vers les buts. Au moment de passer le libero, dernier défenseur, celui-ci manqua son tacle glissé et le faucha dans la surface de réparation.

L'ailier resta au sol, les mains crispées sur sa cheville droite. Gio et le docteur Laval, qui accompagnait l'équipe au cours de ses déplacements, vinrent examiner le blessé : entorse ! Grimaçant de douleur, il sortit du terrain appuyé sur les épaules des deux hommes. Jonathan prit sa place.

La faute, commise dans la surface, méritait un penalty. À la surprise générale, l'arbitre accorda un coup franc à la limite. Turan expédia un tir lifté qui franchit le mur défensif, surprit le gardien et échoua sur la transversale. Le libero détourna le ballon de la tête. Le goal s'en saisit et dégagea de toutes ses forces.

– On est maudits ! gronda Turan.

Profitant d'une sortie en touche, Yann, pris de crampes, demanda à être remplacé. Ronald s'échauffa. Au moment où l'arbitre allait autoriser le changement, le ballon, dégagé au hasard, parvint à l'avant-centre de Saint-Pierre, démarqué, à quelques mètres à peine des buts de Miraval. Julien plongea dans les pieds de son adversaire et se saisit de la balle. L'avant-centre s'abattit. L'arbitre se précipita vers les deux joueurs étendus sur le sol et siffla :

– Penalty !

Julien, sidéré, puis révolté, bouscula l'homme en noir. Hugues, Diego, Michaël et Nick l'entourèrent, menaçants. L'arbitre sifflait sans arriver à imposer son autorité. Le match tournait à la confusion. Gio dut intervenir pour calmer ses joueurs :

– Julien, dans tes buts ! Hugues, aux dix-huit mètres ! Nick, tais-toi ! Je ne veux plus t'entendre.

Ils obéirent tous les trois la rage au cœur.

L'avant-centre plaça son ballon au point de réparation, prit son élan et tira avec adresse. Parti du bon côté, Julien effleura la balle sans pouvoir l'empêcher de pénétrer dans les buts. 1 à 0.

Les joueurs de Saint-Pierre dansaient de joie.

Ceux de Miraval baissaient la tête. Julien avait les larmes aux yeux.

Malgré un baroud d'honneur de Gaby, le score resta le même jusqu'à la fin de la partie. Miraval avait essuyé sa troisième défaite en un mois, la plus humiliante.

Dans le car qui les ramenait chez eux, les joueurs étaient sombres et silencieux.

Puis Turan prononça la phrase que redoutait Gaby :

—La seule réussite de ce match de tocards, c'est le score : 1 à 0, exactement ce que Gaby avait prévu.

—Il avait prédit aussi ma blessure, maugréa Xavier en montrant sa cheville bandée.

—Marre de tes présages à la noix ! gronda Yann. Tu finis par nous porter malheur !

—Je croyais m'être fait comprendre ! s'emporta Gio. Je t'avais dit d'arrêter avec ces bêtises !

Gaby, mal à l'aise, se recroquevilla sur son siège :

—Désolé.

—C'était pour rigoler, intervint Turan.

—Les plaisanteries les plus courtes sont les meilleures, répliqua Gio.

—D'ailleurs il ne porte pas toujours malheur, crut bon de faire remarquer Morgan : il avait aussi annoncé nos 4 à 0 contre Trets.

– Le malheur, c'est cet homme en noir et ses décisions à la noix, fulmina Hugues.

Fusillé par le regard gris acier de l'entraîneur, il mit sa main sur sa bouche :

– Pardon !

– Votre défaite ne doit rien au mauvais sort, enchaîna Gio. Sauf au début de la deuxième mi-temps, vous avez oublié tout ce que je vous ai appris. À présent, n'y pensez plus. Votre équipe est l'une des meilleures du championnat, et vous allez le prouver. Je crois en vous.

– Il y en a au moins un, murmura Yann avec un grand soupir.

Diego montra du doigt le nouveau venu :

– C'est quoi, ce drôle d'oiseau ?

– Une variété de héron ! pouffa Nick.

Julien en laissa tomber le ballon qu'il venait de bloquer :

– C'est pas possible…

Tous les joueurs s'immobilisèrent, l'un après l'autre, pour examiner Gaby. Celui-ci avait coupé ses cheveux longs et adopté une coiffure en brosse qui accentuait la maigreur de son visage. Il était méconnaissable.

– Qu'est-ce qui t'a pris, mec ? s'étonna Turan.

– Ça te regarde ?

Le ton hargneux refroidit l'avant-centre :

– Ce que j'en disais, moi…

– C'est la faute à Dalila ! plaisanta Ronald.

Yann fronça les sourcils :

– Quelle Dalila ?

– La meuf de Samson. Tu ne connais pas l'histoire ? C'est dans *La Bible*. Samson était un guerrier invincible qui massacrait les ennemis d'Israël, les Philistins. Sa force prodigieuse résidait dans ses cheveux, de longs cheveux. Pendant son sommeil, Dalila les lui a coupés. À son réveil, Samson, privé de sa force légendaire, était destroy. Les Philistins en ont profité pour l'enchaîner.

– Pourquoi elle a fait ça ?

– Qui ?

– Dalila.

– Parce que c'était la vraie pourrave !

Yann hocha la tête d'un air pénétré :

– OK pour Dalila. Mais Gaby, ce n'est pas Samson.

– Ni Ronaldino, ricana Xavier.

– Sans lui, l'équipe ne serait pas aussi forte, fit remarquer Turan.

Xavier haussa les épaules :

– Pour prédire nos défaites !

Le match qui suivit l'entraînement confirma le jugement de l'avant-centre : après avoir inscrit deux buts, Gaby se replia en défense. Ses contacts avec ses adversaires furent si brutaux qu'il écopa de plusieurs coups francs.

—Maîtrise-toi, lui ordonna l'entraîneur surpris de cette agressivité inhabituelle.

Loin de se calmer, Gaby effectua sur Morgan un tacle féroce qui souleva l'ailier du sol.

—Ça suffit, maintenant, tu dégages ! décréta Gio. J'ignore pourquoi tu t'en prends à tes coéquipiers, je ne veux pas le savoir. Mais tu vas ruminer tes problèmes en dehors du terrain.

Il fit signe à Jonathan de prendre sa place. Gaby alla s'installer sur le banc de touche sans protester. Ronald l'accueillit avec un sifflement admiratif :

—Tu as bouffé du tigre, ma parole !

—C'est pas pour rien qu'il s'est fait la coupe para, railla Cyril.

Gaby resta sourd à leurs commentaires. Le visage fermé, il regarda la suite du match comme si ses voisins n'existaient pas.

Quelques minutes plus tard, Marie-Laure, Flo, Lucie et Virginie quittèrent la tribune d'où elles assistaient à l'entraînement, et se joignirent aux remplaçants. En faisant la bise à Gaby, Marie-Laure ne put s'empêcher de le taquiner :

—Je ne t'aurais pas reconnu.

—Sur le terrain non plus, ajouta Flo. Tu as fait un massacre !

Elle se pencha pour lui faire la bise. Quand Virginie voulut l'imiter, Gaby l'écarta avec impatience pour voir Turan inscrire un but magistral.

—Si je te gêne, dis-le carrément ! lança la jeune fille avec aigreur.

—Tu vois bien que je regarde le match.

—Ça n'empêche pas d'être poli !

Comme il continuait à observer les joueurs sans faire attention à elle, Virginie se plaça devant lui, les mains sur les hanches :

—Tu te prends sans doute pour un dur parce que tu as le crâne tondu. Mais tu es toujours aussi pitoyable.

Pressentant que la querelle allait mal tourner, Marie-Laure se dépêcha de détourner la discussion :

—Il paraît que tu as encore prédit le résultat du match de dimanche dernier.

—Et la blessure de Xavier, ajouta Flo. Nostradamus n'aurait pas fait mieux !

—Tu commences à m'intéresser, dit Lucie. Tu ne veux pas me refiler les numéros gagnants du loto, des fois ?

—Oubliez ça, grogna Gaby. Ce sont des âneries.

L'incident aurait été clos si Flo, la spécialiste des gaffes, n'avait pas voulu faire de l'humour.

—Tes prédictions sont bidon, tu me rassures parce que, si Virginie doit tomber amoureuse de toi, comme tu l'as annoncé, il faut qu'elle se dépêche. À voir sa tronche et la tienne, c'est plutôt mal parti !

– Amoureuse de ce type ? railla Virginie. Non, mais tu l'as regardé ? Charly Fool !

– Toi, je ne t'ai rien demandé ! s'emporta Gaby. Alors, s'il te plaît, va lâcher les gaz ailleurs.

Virginie arracha avec rage le ruban qui retenait ses cheveux :

– Je vais où je veux !

Avec ses yeux brillants et ses lèvres tremblantes, elle n'avait jamais été aussi bouleversante, pourtant Gaby refusa de se laisser attendrir.

– Pas devant moi, en tout cas. Il y a des spectacles plus passionnants.

Au même instant, Gio siffla la fin du match. Les vainqueurs levèrent les bras. Gaby les accueillit avec le sourire :

– Beau combat !

En rejoignant les spectatrices, Morgan remarqua que Virginie avait les larmes aux yeux.

– Qu'est-ce que tu as ?

– Rien. Tu me raccompagnes ?

– Tu ne veux pas venir à *La Pagode* ?

– J'ai envie de rentrer.

Il questionna les autres du regard. Les filles détournèrent les yeux. Il capitula :

– D'accord. Dix minutes, le temps de prendre une douche et j'arrive.

Virginie acquiesça en silence, puis elle s'éloigna vers la grille du stade. Gaby discutait avec Turan comme s'il ne s'était rien passé. Marie-Laure attendit qu'il ait fini avant de lui adresser des reproches :

— Pourquoi tu te conduis de cette manière avec Virginie ? Elle est gentille.

— Gentille, tu trouves ? ricana-t-il.

— Et toi, tu ne te rends pas compte de ce que tu lui dis !

— C'est sa faute, elle est toujours en train de me harceler, de se moquer de moi. Charly Fool ! Je ne lui ai rien fait pourtant.

— Justement.

Il la dévisagea, doutant de ce qu'elle sous-entendait, quand Morgan sortit des vestiaires et se précipita vers Virginie. Gaby secoua la tête :

— T'inquiète pas pour elle. Elle sera vite consolée !

MIRAVAL
1:2

– J'ai été nul ! soupira Gaby en s'affalant dans l'un des fauteuils d'osier de la véranda.

Louise, qui contemplait le ciel chargé de nuages rouges, annonciateurs de vent, murmura d'un air distrait :

– Il y a des jours où c'est la grande forme, et d'autres où on ne touche pas un ballon. C'est Éric Cantona qui le dit, il sait de quoi il parle.

– Il n'est pas question de foot, grogna Gaby.

Elle fit pivoter sa chaise roulante et s'approcha de lui, soudain attentive :

– Qu'est-ce que tu as encore fait ?

– Moi ? Rien, se défendit-il. C'est elle,

Virginie. Elle a le chic pour me mettre en rogne. Elle fait exprès de me provoquer. Je lui ai balancé des choses… que je ne pensais pas.

Louise dévisagea son frère en silence, puis elle demanda :

—Pourquoi tu as coupé tes cheveux ?

—Ça me donne une tronche d'abruti, je sais.

—Tu as l'air moins romantique.

«Romantique !» Parfois, elle avait un comportement et un langage de femme. Il oubliait qu'elle n'avait que douze ans.

—Je me fiche de mes cheveux, OK ?

—Pas tant que ça, sinon, tu ne te serais pas rasé la tête. C'est à cause d'elle ?

Devant l'expression renfrognée de son frère, elle sourit :

—Moi aussi, je vais me couper les tifs et me coiffer en brosse.

La bouche de Gaby prit un pli moqueur :

—Chiche !

—J'en ai assez qu'on me caresse les boucles comme si j'avais six ans !

—On fera pareil avec ta brosse, tu sais. Moi, en tout cas.

—Essaie pour voir ! Dis-moi, qu'est-ce que tu lui as encore fait, à cette pauvre Virginie ?

—Pauvre ! ricana-t-il, les yeux au ciel.

Elle prit une voix suppliante :

—Tu ne veux pas me raconter ?

Il haussa les épaules comme si le sujet n'avait aucune importance, mais la boule qu'il avait dans la gorge l'empêchait de respirer librement.

— J'ai marqué deux buts, commença-t-il d'une voix sourde. Ensuite, j'ai joué en défense. J'ai cassé plusieurs joueurs, surtout Morgan, ça lui a peut-être déplu. Tu comprends, Morgan et elle...

Louise hocha la tête et parut réfléchir. Ils se mirent à admirer le ciel teinté de lueurs rouges. Au bout d'un long moment, Louise murmura :

— Tu devrais aller t'excuser.

— Auprès de Morgan ?

— Non, de Virginie.

Il lui lança un regard furieux :

— Et puis quoi encore ?

Le lendemain, pendant la longue pause, entre le cours de français et l'atelier de langues, Gaby aperçut Virginie. Elle était seule et pensive, à l'extrémité de la cour plantée de platanes, réservée aux récréations. Les conseils de sa sœur lui revinrent en mémoire : il devait faire la paix. Il s'approcha de la rêveuse ; aussitôt elle se raidit, sur la défensive.

— Je veux m'excuser pour hier, murmura-t-il. Ce que je t'ai dit, je ne le pensais pas. En ce moment : je m'énerve sans raison. Oublie, tu veux bien ?

Virginie se mordait les lèvres. Elle ne faisait

pas cela auparavant, ou bien il ne l'avait pas remarqué. Son beau visage restait fermé. Elle ne disait pas un mot. Et puis, soudain, elle sourit. Gaby se détendit. Il avait fait un effort pour oublier sa rancune, venir jusqu'à elle. Il se sentait soulagé. Il songeait à lui offrir un café – le distributeur était tout proche – quand il s'aperçut que le sourire de la jeune fille ne lui était pas destiné. Morgan se tenait derrière lui, tout près. Il souriait, lui aussi.

« Quel crétin ! » songea Gaby. S'il avait pu disparaître sous terre…

– Alors, quel pronostic pour dimanche ? l'interrogea Morgan avec bonne humeur.

– Terminées, les prophéties ! répondit Gaby. Elles ne m'ont pas porté chance.

Il regarda Virginie avec insistance. Pensait-elle, comme lui, à la prédiction qui la concernait ? Comme elle faisait semblant de ne pas comprendre, il ajouta :

– À partir de maintenant, on va gagner tous nos matchs, pas parce que je l'aurai prévu, mais parce qu'on est les meilleurs.

Morgan approuva en riant. Puis il montra à Gaby le terrain de foot aménagé au-delà de la cour. Derrière une haie de fusains, une dizaine de joueurs s'affrontaient sur un sol de terre dure.

– Si on allait donner une petite leçon à cette bleusaille ?

Gaby acquiesça, impatient d'échapper au sourire moqueur de Virginie. Il se débarrassa de son blouson et de son pull avant d'entrer sur le terrain. Les joueurs accueillirent les deux attaquants de Miraval avec des quolibets :

– Voilà les champions !

– Les nullards ! Ils se font rosser à chaque match.

– Essayez un peu pour voir, répliqua Morgan.

Il murmura à l'oreille de Gaby : « On fait équipe. »

– Le match est presque terminé, objecta l'un des garçons.

Gaby regarda sa montre :

– Il reste dix minutes, c'est largement suffisant pour vous flanquer une raclée !

– On va voir ça ! ricana Stanley, un grand gaillard de terminale.

Au même instant, Olivier Bernon, qui observait la partie d'un air blasé, proposa d'arbitrer le match.

– On garde notre avantage, 1 à 0, dit Stanley.

Il exigea ensuite de récupérer les deux meilleurs éléments de l'équipe adverse pour laisser la place à Gaby et Morgan.

– On peut commencer, oui ? s'impatienta Olivier.

– Quelle autorité ! railla Stanley.

Pour toute réponse, Olivier siffla le coup

105

d'envoi. Aussitôt, Gaby se déchaîna. Il savait que Virginie les observait derrière le grillage qui délimitait le terrain, et sa présence lui donnait des ailes. En quelques minutes, il marqua trois buts et offrit le quatrième à Morgan, avant d'être fauché brutalement par Stanley. Dans sa chute, il déchira son jean et s'ouvrit le genou.

La sonnerie signalant la reprise des cours retentit. Olivier siffla la fin du match. 4 à 1. Gaby sortit du terrain en boitant, heureux, malgré tout, d'avoir été le héros de cette partie improvisée. L'attitude de Virginie le dégrisa : sans un regard pour le blessé, elle se pendit au bras de Morgan et prit avec lui le chemin de l'atelier de langues.

—Tu devrais aller à l'infirmerie, conseilla Olivier à Gaby.

—Ça ira, crâna ce dernier. Ma jambe en a vu d'autres.

—Elle risque de ne pas voir le prochain match. Verrières est un gros morceau et vous n'avez plus le droit de perdre.

Il s'en prit à Stanley :

—S'il déclare forfait, ce sera ta faute. Tu es vraiment une enflure !

—Désolé, dit Stanley avec un sourire hypocrite.

« Pas tant que moi ! » pensa Gaby en voyant disparaître Morgan et Virginie.

Miraval, avant-dernier du championnat, affrontait Verrières, premier ex aequo avec Carpentiez. Handicap supplémentaire : le match avait lieu sur terrain adverse. Et, pour comble de malchance, Turan était blessé ; Éric, Damien et Jonathan malades. Xavier, mal remis de son entorse, boitait. Quant à Gaby, il souffrait du genou. D'habitude, il aurait demandé à être remplacé. Mais, en l'absence du Sénégalais, Gio lui avait confié le poste d'avant-centre, jumelé avec Morgan. Cet honneur valait bien un peu de souffrance.

— Tu es sûr que ça va aller ? s'inquiéta Morgan.

Gaby lui adressa un clin d'œil :

— On va essayer de faire aussi bien qu'à la récré !

Pourquoi Morgan lui était-il aussi sympathique ? Il se posait toujours la question. Il sortait avec la fille qu'il aimait. Il l'enviait. Il aurait dû le détester. Or, il n'arrivait pas à lui en vouloir. Morgan était un garçon chaleureux, sincère, généreux. De plus, il avait du charme, une carrure d'athlète, un visage aux traits virils qui plaisait aux filles. Gaby aurait voulu lui ressembler. Comment Virginie aurait-elle pu hésiter entre ce bel Indien et un Charly Fool à la dégaine de héron déplumé ?

Cette image provoqua chez lui un fou rire nerveux.

— Pourquoi tu rigoles ? s'étonna Morgan.

Impossible de lui expliquer le motif de sa dérision. Cherchant un prétexte, il désigna leurs adversaires qui saluaient leur public à la manière de gladiateurs entrant dans l'arène :

— Regarde-les frimer. Ils se croient déjà vainqueurs !

— Ils vont être déçus, ricana Morgan. On a eu raison de cacher notre jeu jusqu'ici.

Sa plaisanterie ne dérida pas ses coéquipiers. Ils étaient tous tendus, conscients de l'enjeu de la rencontre. Avec trois victoires et un match nul, Verrières était invaincu depuis le début du championnat. C'était «un gros morceau», comme l'avait dit Olivier qui s'y connaissait.

Après avoir engagé, Morgan s'élança le long de la touche. Gaby était déjà près de la ligne des seize mètres adverses. En l'absence des titulaires, Gio avait placé Ronald à l'aile droite et Cyril à l'aile gauche. Le premier montait rapidement. Morgan, lancé à gauche, renversa le jeu sur lui. Ronald contrôla avec adresse, feinta à gauche, mais quand il voulut passer son vis-à-vis, celui-ci le stoppa irrégulièrement. L'arbitre porta son sifflet à la bouche pour sanctionner l'obstruction, puis il s'abstint pour laisser l'avantage à Gaby qui avait récupéré le ballon.

L'avant-centre crocheta le libero, souleva la balle et frappa du cou-de-pied. Son tir puissant dans l'angle des buts laissa le gardien pétrifié. Trois minutes de jeu, 1 à 0.

Cet éclair de génie enflamma les visiteurs. Ils se jetèrent sur Gaby, l'étreignirent, l'étouffèrent. Ils hurlaient :

– Le bastos, mec !

– Plastiqué, le goal !

Morgan riait de plaisir :

– Pour un éclopé…

Au centre du terrain, les Verriérois piaffaient. L'offensive les avait cueillis à froid. Le but magnifique blessait leur orgueil. Ils avaient hâte de venger l'affront et de reprendre l'avantage. Ils tremblaient d'impatience en attendant leurs adversaires qui n'en finissaient pas de célébrer leur exploit.

Dès la remise en jeu, ils s'appliquèrent à conserver la balle en imposant leur loi au centre du terrain. De là, ils lançaient des raids à trois ou quatre, selon une tactique qui leur avait permis de marquer douze buts en quatre matchs et d'occuper la tête du championnat.

Cependant, la défense de Miraval s'avéra plus forte que toutes celles qu'ils avaient affrontées jusqu'à présent. Hugues, Diego, Nick et Michaël, irréprochables, brisaient toutes les offensives. Leurs contre-attaques foudroyantes obligeaient les Verriérois à se replier en catastrophe et à consolider leur propre défense.

Ce jour-là, les vaincus de Saint-Pierre-de-Croix étaient méconnaissables. Animés d'une volonté irrésistible, associée à un plaisir de jouer réjouissant, ils tentaient sans complexe les gestes les plus audacieux et les réussissaient.

Les supporters de Verrières, venus voir leur équipe écraser une formation médiocre, n'en revenaient pas : Miraval imposait son style et donnait une leçon de foot au leader !

Vingt-cinquième minute : Miraval menait toujours 1 à 0 lorsque Gaby décocha un tir des vingt mètres et faillit surprendre le gardien.

Malmenés, les Verriérois s'énervaient. Leur jeu était émaillé de brutalités, aussitôt sanctionnées par l'arbitre.

On atteignait la demi-heure quand ce dernier accorda un coup franc – le sixième – à Gaby. La pénalité était située à une quinzaine de mètres des buts, légèrement décentrée à droite. Les défenseurs de Verrières peinaient à aligner leur mur.

– Trop près ! estima l'arbitre.

Il les obligea à reculer. Ainsi, la ligne gênait le goal qui hurlait, déplaçait ses coéquipiers, s'agitait avec une nervosité alarmante.

Gaby, chargé du coup franc, montra le pansement de son genou et fit signe à Morgan de prendre sa place. L'avant-centre recula de quelques mètres. Le signal de l'arbitre tardait à venir à cause de la mauvaise volonté des défenseurs. Dès que l'arbitre avait le dos tourné, le mur avançait de quelques mètres. L'homme en noir finit par s'emporter. Il infligea un carton jaune. Aussitôt le calme revint. Le sifflet retentit.

Au moment où Morgan démarrait, il vit s'ouvrir une faille entre deux Verriérois, et frappa dans cette direction. Le ballon rebondit, heurta la jambe d'un défenseur et prit le gardien à contre-pied. L'arbitre montra le centre. 2 à 0.

Morgan tomba à genoux, les bras au ciel, triomphant.

– Génial ! lui cria Cyril.

111

—Joli coup de billard ! apprécia Gaby.

Les deux joueurs s'étreignirent. L'ivresse de la victoire effaçait leur rivalité amoureuse. Virginie était restée à Miraval. Gaby ne pensait plus à elle. Seules comptaient l'admiration des spectateurs et la joie de ses coéquipiers.

Pendant les dernières minutes de la première période, les deux équipes se livrèrent un combat acharné. Une fois de plus, Gaby faillit aggraver le score. De leur côté, les Verriérois gâchèrent plusieurs occasions par excès de nervosité.

—Belle mi-temps apprécia Gio avec un léger sourire. J'ai beau réfléchir, je ne trouve pas la moindre critique. Pourtant, vous me connaissez : ce n'est pas faute de chercher !

Il attendit l'extinction des rires avant de poursuivre :

—Votre performance est d'autant plus méritoire que votre adversaire est solide et bien organisé. Vous avez fait vos preuves. Il s'agit maintenant de tenir encore quarante minutes.

—Sans moi, grogna Gaby en frottant son genou blessé.

Les dix dernières minutes avaient été éprouvantes. Gio approuva : l'ayant vu boiter, il n'avait pas attendu la mi-temps pour demander à Serge de s'échauffer. C'était son ultime remplaçant. Encore un autre blessé, et l'équipe serait obligée de jouer à dix.

Il plaça Morgan à la pointe de l'attaque et Serge en soutien.

—Préparez-vous à subir l'orage, ajouta-t-il. Verrières va faire le forcing. Il faut tenir au centre et ne pas hésiter à contre-attaquer. Menés 2 à 0, ils vont jouer le tout pour le tout et se découvrir. Saisissez votre chance.

Sans attendre la fin du discours, Gaby alla s'asseoir sur le banc de touche, entre Xavier et Damien qui assistaient au match.

—Pas de chance, dit le gardien.

Xavier se contenta d'ironiser :

—Cette blessure-là aussi tu l'avais prévue ?

Pour une raison obscure, l'ailier en voulait à Gaby depuis le début de la saison. Sa blessure n'arrangeait rien. Il avait l'air de croire que son coéquipier avait provoqué son entorse en annonçant qu'elle se produirait.

Gaby ignora la provocation. Il se passionnait pour le face-à-face dont l'intensité augmentait de minute en minute. À présent, Verrières démontrait qu'il n'avait pas usurpé sa place de leader. Ses offensives se développaient savamment. Les tirs cadrés se multipliaient. Dans les buts de Miraval, Julien faisait des prodiges.

Damien se rongeait les ongles.

—Dur, dur !

Xavier haussa les épaules :

—Il reste vingt minutes. On ne tiendra jamais !

Damien lui lança un regard sarcastique :

— Toujours aussi optimiste !

Gaby secoua la tête :

— Ce match, on va le gagner.

— Encore un de tes oracles ! railla Xavier.

Gaby désigna les joueurs :

— Ils n'ont pas besoin de ça, ils sont tous formidables, tous !

Au même moment, Julien se détendit et, plongeant à un mètre du sol, effectua une parade admirable avant de rouler souplement par terre. Damien poussa un hurlement :

— Bravo, le goal !

Le public, conquis, applaudissait les deux équipes qui lui offraient un spectacle magnifique.

Quelques minutes plus tard, malgré le courage des défenseurs, Julien s'inclina sur un tir foudroyant de l'avant-centre. 2 à 1.

— C'est parti ! grommela Xavier.

Gaby regarda l'ailier avec l'envie de l'expulser du stade.

— Qu'est-ce qui est parti ?

— Le massacre, comme d'habitude.

— La ferme ! commanda Damien.

Les deux équipes prenaient position au centre du terrain. Ronald engagea et voulut passer à Serge. L'ailier adverse intercepta et courut le long de la touche. Tous ses coéquipiers avaient envahi le camp de Miraval.

114

– Allez Verrières !

– Encore un !

Le public en délire avait quitté la tribune. Il entourait la pelouse et portait ses joueurs. La pression était à son paroxysme. On s'attendait à voir Miraval craquer quand, soudain, Morgan s'empara du ballon, franchit la ligne médiane et fonça vers les buts. Dans leur rage d'égaliser, les Verriérois avaient imprudemment dégarni leur défense, comme Gio l'avait prévu.

Morgan n'avait plus devant lui que le libero. Il feinta à gauche, exécuta un grand pont, récupéra le ballon. Le goal se ruait à sa rencontre. Morgan shoota par surprise. La balle roula vers le but. Les spectateurs retinrent leur souffle. Ils respirèrent en voyant le ballon sortir du terrain à quelques centimètres du cadre.

– Dommage ! ragea Damien.

– Cinq minutes ! annonça Gio en faisant signe à ses joueurs de se replier en défense.

Les supporters se dépêchèrent de renvoyer le ballon au gardien, qui dégagea de toutes ses forces. Une nouvelle fois, les Verriérois s'élancèrent à l'attaque.

Gaby ferma les yeux. Il ne les rouvrit qu'en entendant l'arbitre siffler la fin de la rencontre. 2 à 1. Miraval venait de battre le leader sur son terrain. Gaby sentit les larmes lui piquer les yeux. Cette fois, il n'avait pas prévu la victoire, mais il

115

l'avait espérée de tout son cœur. Il alla rejoindre Morgan aussi vite que le lui permettait son genou douloureux.

—Bravo, champion! dit-il en souriant à travers ses larmes.

Morgan prit ses coéquipiers à témoin:

—Cette victoire, c'est grâce à lui. Un but de légende, et avec un seul genou encore!

MIRAVAL
1:4

Après sa victoire sur Verrières, Miraval battit successivement huit équipes et remonta de l'avant-dernière à la deuxième place du championnat de la ligue du Sud-Est.

— Ce n'est pas un renouveau, c'est une transfiguration, écrivit Olivier qui raffolait des mots pompeux. Je n'en suis pas surpris : Miraval est une grande équipe.

— Tu affirmes ça aujourd'hui, le critiqua Lucie, mais tu ne donnais pas cher de l'avenir du club il y a trois mois, avoue-le.

— J'étais objectif, se défendit le jeune journaliste. L'équipe n'était pas au point, en tout cas

117

j'avais repéré la valeur de bien des joueurs.

Louise eut une moue sceptique :

— Deux ou trois, peut-être.

La sœur de Gaby venait au stade pour la première fois. Cette fête, elle l'attendait depuis longtemps. Des difficultés de toutes sortes avaient retardé cet instant. Son père l'avait enfin conduite dans l'enceinte dont elle rêvait. Il avait même consenti à la laisser au milieu de ses copains avant de s'installer lui-même dans la tribune.

Marie-Laure, Flo, Lucie et Olivier avaient amené deux nouveaux supporters : Greg et Gus. Viviane, la meilleure amie de Louise était là, elle aussi.

— Deux ou trois, tu charries ! se rebiffa Olivier. J'avais découvert le talent de la plupart des joueurs.

— Ta feuille de chou, je la connais par cœur, riposta Louise. Quand je dis trois joueurs, je suis généreuse. Turan, Hugues et Julien, point final !

Les filles échangèrent des sourires amusés. Elles avaient appris à connaître et à apprécier la fillette : un sacré tempérament ! Depuis son fauteuil roulant, elle était capable de tenir tête à n'importe qui grâce à deux armes bien aiguisées : son intelligence et son humour.

— Tu trouves que je ne rendais pas justice à ton frère chéri, c'est ça ? ironisa Olivier.

Louise le foudroya du regard :

– Gaby n'a pas besoin de pub : ses exploits lui suffisent. Quatorze buts, ce n'est pas rien !

– N'empêche ! Ma feuille de chou, comme tu l'appelles, contribue à remplir le stade.

Il montra la tribune bondée et les talus couverts de monde.

– Tu peux chercher, tu ne trouveras pas une seule équipe de cadets capable d'attirer autant de spectateurs.

– Aucune ne gagne autant de matchs, dit Louise.

Elle regarda ses amies d'un air malicieux :

– Et puis il y a eu ce bel article dans *La Provence*.

– Un article ! maugréa Olivier. Moi, je parle de Miraval et de ses performances toutes les semaines. *Ballon rond* est diffusé à mille exemplaires !

Louise sourit :

– Je sais, je te taquine. Ton journal, je le lis toutes les semaines avec plaisir.

– Ce n'est plus une feuille de chou, mais un journal, il y a du progrès, ironisa Olivier.

Ils s'interrompirent pour applaudir : les deux formations faisaient leur entrée sur le terrain.

– Mérindol est une bonne équipe ? demanda Flo.

Olivier fit un signe d'assentiment :

– Ils sont troisièmes, à un point de Miraval. Le match d'aujourd'hui est capital.

—Voilà la plus belle ! annonça Lucie.

Virginie traversait la foule pour rejoindre la bande. Dans sa robe à bretelles qui découvrait ses jambes et ses épaules, elle était vraiment très attirante.

—Où tu étais ? s'étonna Marie-Laure en lui faisant la bise. Tu as failli manquer le coup d'envoi.

—Je me suis encore disputée avec ma mère, soupira Virginie. Quand je mets une robe pour venir au stade, c'est toute une histoire.

—Une belle histoire, plaisanta Olivier.

La jeune fille se contenta de hausser les épaules et jeta un regard curieux à la fillette assise dans son fauteuil roulant.

—Tu connais Louise ? dit Flo.

Virginie fronça les sourcils :

—Louise ?

—La sœur de Gaby.

—Je pensais… J'avais cru…

Elle se pencha pour embrasser la fillette.

—Gaby n'a pas exagéré : tu es vraiment très belle, lui dit celle-ci en la dévorant des yeux.

Virginie se sentit rougir, tandis que ses amies pouffaient comme des idiotes. Sa sœur ! Elles s'étaient bien moquées d'elle ! Depuis des mois, elles la soûlaient avec une fille fascinante prénommée Louise et la passion de celle-ci pour Gaby. Elle avait toujours été convaincue qu'il s'agissait de sa petite amie.

– Tu veux t'asseoir à côté de moi ? pria gentiment Louise.

– Bien sûr.

Avec sa peau blanche et ses traits délicats, la fillette faisait penser à une poupée de porcelaine.

– Je ne t'ai jamais vue. C'est la première fois que tu viens au stade ? lui demanda Virginie.

– La première. Forcément, avec ce machin !

Elle frappa sur ses accoudoirs.

Devant l'air attristé de Virginie, elle pouffa :

– Quand Gaby saura que j'ai assisté au match à côté de toi, il va crever de jalousie.

– Gaby ?

– Mon empoté de frère, oui. Depuis six mois, il meurt d'amour pour toi comme on dit dans les romans. Tu as lu *Le rêve* de Zola ?

– Non.

– Et *La source bleue* ?

– Non plus.

Louise se lança dans le récit passionné de ces histoires d'amour et de jalousie. Virginie sourit. Cette fillette à l'esprit vif et au regard pénétrant la fascinait. Elle songeait qu'elle aurait aimé avoir une sœur comme elle.

Sur le terrain, après quelques minutes d'échauffement, les deux équipes avaient pris position.

– J'espère qu'on va gagner, murmura Virginie.

Louise secoua ses boucles :

121

— On va souffrir. Tu vois le grand là-bas, le numéro neuf ? C'est Max, Maxime Orlando, l'un des meilleurs buteurs du championnat.

— Il a marqué vingt-deux buts en douze matchs, crut bon de préciser Olivier.

— Vingt-trois, rectifia Louise. Il s'insinue dans la défense et frappe comme la foudre. Pourvu qu'Hugues arrive à le museler !

— S'il échoue, tout est fini entre nous, plaisanta Marie-Laure.

Louise redressa son petit nez avec imperti-nence :

— C'est une punition ?

Marie-Laure la menaça du doigt :

— Petite peste !

Virginie se mit à rire de bon cœur : la malice de Louise l'enchantait.

Le match débuta par un duel impitoyable au centre du terrain. La première action dangereuse vint de Miraval. Une combinaison entre Gaby, Xavier et Turan amena l'avant-centre à quelques mètres des buts de Mérindol. En voulant conclure, Turan tira sur le gardien qui n'eut aucune peine à bloquer le ballon.

— Il a écrasé son tir, commenta Louise. Nick, reviens ! gaffe à Max !

Au terme d'une contre-attaque foudroyante, l'avant-centre de Mérindol se trouva face à Hugues, dernier défenseur. Le libero réussit à prendre l'ascendant sur son adversaire et à dégager son camp. Louise leva le pouce en direction de Marie-Laure, puis elle s'anima :

—Allez, Ronald ! À l'aile, oui. À toi, Morgan, centre, n'attends pas !

Virginie était stupéfaite de constater que la fillette connaissait le nom de tous les joueurs alors qu'elle-même en ignorait la moitié. Dire qu'elle venait au stade pour la première fois !

À quelques minutes de la mi-temps, Morgan trompa le gardien. 1 à 0. Louise noua ses bras autour du cou de Virginie, et l'embrassa.

—Qui c'est, le meilleur ?

—Toi.

Louise plissa le front :

—Belle et gentille, qu'est-ce que ça cache ?

Pendant la pause, Virginie disparut sans prévenir. Elle revint quelques instants plus tard avec des glaces, une pour elle et une pour Louise.

—Et moi ? réclama Olivier.

Louise affecta un air sévère :

—Nous verrons après avoir lu ton compte-rendu.

—Le match n'est pas terminé.

—Max n'a pas fait parler la poudre, fit remarquer Louise sur un ton de professionnel.

—Il n'est peut-être pas en forme, risqua Viviane.

Louise rejeta ses boucles en arrière :

—Il a manqué d'occasions, ses ailiers ne sont pas à la hauteur, tant mieux pour nous. Mais dès qu'il est en possession de la balle, le danger rôde. Il ne faut pas le quitter d'une semelle.

En deuxième période, Max égalisa au bout de six minutes de jeu. Louise lança un regard entendu à Viviane.

—La poudre a parlé, plaisanta Flo.

—Julien était mal placé, fit remarquer Louise. Regardez Gaby !

Le milieu offensif se battait comme un diable sur tous les ballons.

—C'est le poumon et le cœur de l'équipe, commenta Olivier.

Il eut droit à un sourire reconnaissant de Louise. La fillette était fière de son frère.

Un quart d'heure plus tard, Miraval reprit l'avantage grâce à un tir de volée de Turan. Puis Gaby assura la victoire définitive de son équipe en inscrivant un troisième but à quelques minutes de la fin. Emportée par l'enthousiasme, Virginie leva les bras si violemment qu'elle déchira l'une des bretelles de sa robe.

—Ça t'apprendra à désobéir à ta maman, plaisanta Flo.

—Tu es jalouse, lui dit Louise.

—Un peu que je suis jalouse ! gronda Flo. Des

épaules et des seins pareils, ça devrait être interdit !

Les joueurs quittaient le terrain sous les acclamations du public. Gaby chercha sa sœur des yeux. Étonné de la voir en compagnie de Virginie, il se détourna. Louise eut beau agiter la main et crier son nom, il fit semblant de ne pas entendre et disparut dans les vestiaires.

La fillette secoua la tête d'un air dégoûté :

– Les garçons sont stupides, tu ne trouves pas ?

Virginie fit la moue en songeant à sa méprise :

– Les filles aussi quelquefois.

Gaby se frotta les yeux d'un air préoccupé :

– Je finis par croire que je suis ensorcelé.

Louise pouffa :

– Par Virginie ? C'est sûr ! Rien qu'à voir ta tête…

– Qui te parle de Virginie ? On ne s'adresse plus la parole.

– Tu veux dire que tu n'es plus amoureux d'elle ?

– C'est de l'histoire ancienne, et ça n'a aucune importance. Le foot, ça, c'est du sérieux. Je t'ai raconté que j'avais prévu les résultats de nos premiers matchs ?

– Tes matchs maudits ? Des coïncidences ! soupira Louise en bâillant d'ennui.

– Les résultats et les scores précis.

– Ça n'a pas duré.

– Si, justement. Je savais qu'on allait gagner les matchs suivants, je l'ai toujours su.

– Et alors ? De quoi tu te plains ? Vous êtes premiers du championnat.

– Deuxièmes à un point de Roves, rectifia Gaby.

– Dimanche prochain, vous passerez en tête.

Gaby se leva et se mit à arpenter la véranda avec nervosité. Son visage était parcouru de tics.

– Qu'est-ce que tu as ? s'inquiéta Louise.

– On va perdre, c'est sûr.

– Contre Roves ?

– Non, contre Trets. On va prendre une raclée. Je savais d'avance qu'on gagnerait nos derniers matchs. C'est dingue, non ?

Louise leva les yeux au ciel :

– Rien de sorcier là-dedans : vous êtes les plus forts.

– Si on est meilleurs, dimanche, logiquement on devrait l'emporter. Or, on va perdre ! s'entêta Gaby.

– Arrête de chialer, tu veux ?

L'insulte le mit hors de lui :

– Tu ne me parles pas comme ça, OK ? Pour qui tu te prends ? Toujours à faire la leçon à tout le monde !

—Alors que je ne suis qu'une gamine, enchaîna Louise.

—Une gamine, oui, tu as trouvé le mot exact.

—C'est toi qui l'as trouvé : tu me le balances assez souvent !

Ils cessèrent de se chamailler pour regarder le jardin épanoui sous le soleil après la pluie nocturne. Leurs disputes ressemblaient aux caprices du ciel : elles éclataient sans prévenir et s'évanouissaient aussi vite pour laisser place à un soleil radieux.

Les fleurs du printemps s'ouvraient sur les parterres désherbés par Hélène.

—En tout cas, dimanche, vous aurez beau temps, c'est déjà ça, murmura Louise.

Gaby secoua la tête, maussade :

—Le mistral va se lever. Ils l'ont annoncé à la météo. Je déteste le vent.

—Je ne pourrai pas venir au stade, dit Louise avec mélancolie.

—Pourquoi pas ?

—Papa ne voudra pas aller à Trets. Il doit assister au Salon de la maison individuelle. Et puis il n'aime pas le foot.

—Je trouverai une solution, promit Gaby.

Louise lui sourit avec reconnaissance. Au bout de quelques instants, elle demanda :

—Tu organises une fête pour ton anniversaire ?

—Je ne sais pas, je crois…

– C'est dans quinze jours.

– Belle mémoire ! J'inviterai peut-être quelques potes, le samedi.

– Qui ça ?

– Toujours les mêmes : Turan, Julien, Hugues, Olivier, Marie-Laure, Florence, Lucie… Ils sont sympas, non ?

– Je pourrai inviter Viviane ?

– La commère ? Si tu veux.

Elle lui lança un regard malicieux :

– J'ai déjà commandé ton cadeau.

– Qu'est-ce que c'est ?

– Mystère ! Un indice, quand même : c'est ce que tu désires le plus au monde.

Il la dévisagea en riant :

– Dis-le-moi, allez !

– Une chose merveilleuse, insista-t-elle avec recueillement.

– Un Carambar ?

– Tu verras.

– Le dernier maillot de Zidane ?

– Mieux que ça, beaucoup mieux.

– Tu te moques de moi ?

– Je te jure que non.

– Tu peux bien me le dire.

– Ce ne serait plus une surprise. Tu la découvriras le 17.

– Je crois deviner, bluffa-t-il.

Louise plissa les yeux d'un air narquois :

– Ça m'étonnerait. De toute façon, je ne parlerai pas, même sous la torture.

– La pire des tortures ?

Il s'approcha d'elle, les mains tendues. Elle se recroquevilla dans son fauteuil :

– Je te préviens : si tu me chatouilles, je crie !

Elle se mit à hurler avant qu'il l'ait touchée. Il s'interrompit aussitôt pour lui caresser les cheveux avec l'air paternel qui l'exaspérait.

– Arrête de faire ça ! râla-t-elle.

– Mauvais caractère ! ricana-t-il.

Elle lui adressa une grimace horrible :

– Je vais décommander ton cadeau.

– Commander ? Par correspondance ? On va le livrer ?

– Dans son emballage, oui. Petite précision : c'est très fragile.

Après quarante minutes de jeu : 2 à 0. Handicap impossible à surmonter pour une équipe au bord de l'épuisement. Où étaient passés les onze guerriers vainqueurs de toutes les grandes équipes du championnat ? Ce jour-là, il fallait bien le reconnaître, Miraval était méconnaissable. L'absence de Turan n'expliquait pas ce naufrage.

Trets n'était pourtant pas un foudre de guerre. Ses deux buts, acquis en première période, étaient accidentels. En temps normal, Miraval aurait fait une seule bouchée de cette formation lente et peu inspirée. Mais les Tretsois pensaient maintenant à la victoire alors que leurs adversaires n'y croyaient plus.

Morgan était effondré : il avait gaspillé nombre d'occasions par maladresse ou impétuosité excessive. Xavier fulminait contre Gaby coupable de l'avoir ignoré une fois encore en première mi-temps. Et Gaby se sentait coupable, non pas d'avoir négligé l'ailier, toujours mal placé, mais d'avoir prédit la défaite honteuse de son équipe en pleine ascension. Après avoir été si près du triomphe, ils étaient en train de perdre leur chance de remporter le championnat.

Par chance, il n'avait parlé à personne de son pressentiment, sauf à Louise. Celle-ci aurait maintenant une bonne raison de croire à ses divinations. C'était toujours ça !

– Ce n'est pas très grave !

Gio interrompit les réflexions amères du milieu offensif. Il souriait. Gaby se demanda si l'entraîneur ne se payait pas leur tête : « Pas grave ? 2 à 0, une défense hésitante, une attaque maladroite, un moral à zéro ? »

– Gaby, tu évolueras en position d'avant-centre.

– Mais… Morgan ?

– Morgan aussi. Je veux deux avants-centres en fer de lance. Jonathan et Xavier en soutien, Ronald en récupération. Attaquez au centre, c'est leur point faible. Leur défense va céder.

Sa voix était sereine, pleine de certitude. Pas la moindre allusion aux erreurs commises.

— Ils croient leur victoire acquise, poursuivit-il. Ils vont déchanter.

« Il essaie de nous redonner confiance, pensa Gaby. Il est capable de redresser bien des situations, il l'a prouvé. Mais il ne peut rien contre le mauvais sort ! »

L'entraîneur le saisit aux épaules et le secoua comme pour chasser ses idées noires :

— Ces deux buts, vous allez les remonter facilement, sans forcing, en jouant comme d'habitude. Gardez le principe du 4 x 2 x 4. Ne vous précipitez pas, conservez la balle, faites-la circuler. Défiez vos adversaires. Ils vont soit foncer sur le ballon, soit se replier devant leurs buts. Dans les deux cas, ils subiront le jeu. Quarante minutes, c'est long, surtout lorsqu'on n'a pas les capacités physiques de résister. C'est leur cas.

Gaby jaugea ses coéquipiers et leur attitude le laissa sceptique. Gio faisait comme si ses joueurs étaient en meilleure condition que les Tretsois. Or, c'était l'inverse. Diego, Hugues, Yann et Morgan étaient prostrés. Lui-même avait souffert à la fin de la première période, alors que ses adversaires affichaient une fraîcheur insolente.

Le sourire de l'entraîneur s'élargit :

— Faites-moi confiance : je sais reconnaître une équipe conquérante, ajouta-t-il. Contrairement aux apparences, c'est la vôtre.

L'arbitre rappela les deux formations. Les

vingt-deux joueurs reprirent leurs places. Le public encourageait son équipe :

— Trets ! Trets ! Trets ! Trets ! Trets ! Trets !

Les cris prenaient le rythme saccadé d'un train en marche.

Au coup de sifflet, Morgan engagea sur Yann. Gaby s'élança et passa la ligne adverse en force, imitant la technique de Turan. Tournant la tête, il vit Morgan lancé balle au pied, quelques mètres derrière lui. Celui-ci dribbla un adversaire et adressa à Gaby la passe idéale, sur son pied droit. L'avant-centre la dévia sur Xavier qui shoota en pleine course. Le gardien plongea trop tard. Le ballon lui échappa. Il roula au fond des filets. 2 à 1.

Xavier se mit à danser de joie, les bras levés. Ses coéquipiers l'entourèrent. Ils se bousculaient joyeusement, dépensaient une énergie extravagante. Gaby avait du mal à reconnaître ses partenaires accablés quelques minutes auparavant. Une vraie résurrection !

Xavier, oubliant leur conflit, le gratifia d'une bourrade amicale :

— Une passe, un but !

— Refais-moi ça, je n'ai pas très bien vu !

— À toi de recommencer !

— Sans problème !

Le gardien et les défenseurs tretsois se querellaient, chacun accusant les autres d'être responsables du but.

Ils engagèrent et amorcèrent une offensive timide à l'aile gauche. Hugues la stoppa sans peine, puis relança sur Michaël. Celui-ci entama une course de trente-cinq mètres sans être inquiété. Désertant le centre, les Tretsois s'étaient repliés en défense comme Gio l'avait prévu. Ils étaient sept devant leur surface. Cependant, la machine de Miraval, au point mort pendant la première mi-temps, marchait maintenant à plein régime. Le ballon, insaisissable, courait d'un attaquant à l'autre. Morgan reprit de la tête un centre aérien de Jonathan, et trompa le gardien. 2 à 2.

Une euphorie extraordinaire animait l'équipe tout entière. Gaby avait oublié sa fatigue, sa résignation, la malédiction. Il courait avec les autres, poussé par un soudain plaisir de jouer.

Gio observait cette métamorphose avec satisfaction. Il connaissait bien ses joueurs, leur force et leur fragilité. Il suffisait parfois d'un rien pour qu'ils basculent vers la victoire ou la défaite. Pendant trois quarts d'heure, ils avaient douté ; à présent, ils avaient retrouvé la confiance, la cohésion et la vitesse qui faisaient leur supériorité.

– À gauche, sur Gaby, murmura-t-il.

Comme s'il avait entendu le conseil de l'entraîneur, Yann glissa la balle à son avant-centre. Celui-ci se trouvait dos au but. Il amortit le ballon de la poitrine, le contrôla du pied gauche, résista à la charge de deux défenseurs. Il enchaîna tous ces gestes sans effort apparent, avec son flegme habituel.

Gio appréciait cette fausse apathie : elle trompait ses adversaires. Après s'être débarrassé d'un nouveau défenseur, Gaby parut perdre le ballon, l'offrir au libero. Puis, à l'instant où celui-ci allait s'en emparer, il le dévia du bout du pied, effaça son adversaire et trompa le gardien de l'extérieur du pied gauche. 3 à 2 !

Le public applaudit sportivement l'exploit de l'avant-centre. Quelques sifflets retentirent pour stigmatiser l'impuissance des Tretsois, anéantis par trois buts encaissés en moins de vingt minutes.

Félicité par ses coéquipiers, Gaby songeait à Louise : « Elle aurait aimé voir ça ! » Pendant six jours, il avait supplié en vain les uns et les autres : personne n'avait voulu conduire sa petite sœur au stade. La pensée de sa déception l'attristait.

Gio interpella ses joueurs :

— Accentuez la pression ! Ne les laissez pas se reprendre !

Il fit entrer Ronald et Cyril avec mission de renforcer l'attaque. « Un conseil : ne vous repliez pas, surtout pas ! »

Cinq minutes plus tard, Gio poussa un grand soupir : grâce à une reprise de volée, Jonathan venait de catapulter le ballon dans les filets.

4 à 2. Le tir était chanceux : l'ailier avait marqué en voulant effectuer un centre. Mais cette maladresse sanctionnée par un nouveau but récompensait la domination écrasante de son équipe.

Le match était joué. Pendant les dernières minutes, Miraval se borna à conserver le ballon. Les deux formations n'en pouvaient plus.

En entendant le signal de l'arbitre, Gaby et ses partenaires tombèrent dans les bras les uns des autres.

– Beau travail, les mecs, dit Julien.

La victoire consolait le gardien des deux buts humiliants qu'il avait encaissés.

Depuis la touche, Turan, cloué à son banc, riait de plaisir comme s'il avait inscrit lui-même les quatre buts auxquels il venait d'assister.

Gaby bouscula Xavier :

– Et le deuxième but que tu m'avais promis ?

– Au prochain match. Entre nous, avoue, cette victoire, tu l'avais prévue ?

– Et comment ! jubila l'avant-centre.

Il avait cru à la défaite, et maintenant il était ravi de s'être trompé. Le mauvais sort qu'il redoutait n'existait que dans sa tête. Les seuls sorciers ici présents étaient un entraîneur génial, et onze cadets virtuoses du dribble et quatre buteurs prodigieux.

Gaby rejoignit ses amis dans la véranda. À part Morgan, ils étaient tous là pour son anniversaire : Turan, Julien, Hugues, Diego, Olivier, Marie-Laure, Florence, Lucie et sa sœur, Audrey.

Olivier faisait honneur au buffet dressé sous la grande verrière.

— Laisses-en aux amis, pouffa Audrey.

— J'ai rarement vu autant de bectance dans un aussi petit corps, railla Turan.

— Tu peux parler, toi ! lança Olivier la bouche pleine.

— On n'a pas la même contenance, je te signale.

Doté d'un appétit légendaire, le Sénégalais se limitait depuis quelques mois pour éviter de dépasser les 78 kilos.

Louise intervint en agitant la dernière édition du *Ballon rond* :

—Il a bien mérité ses six desserts. Son reportage est super. Quel suspense ! Un vrai polar !

—Ça méritait un numéro spécial, confirma Olivier en continuant à s'empiffrer de choux à la crème cuisinés par Hélène Radinsky. C'est de loin la meilleure rencontre de la saison.

—Et celle de Verrières, tu l'as oubliée ? s'écria Hugues.

—Un match courageux, mais moins intense, affirma Olivier. Contre Trets, la deuxième mi-temps était tout simplement héroïque.

—Tout simplement ! rigola Diego, flatté malgré tout.

—J'aurais aimé voir ça, soupira Louise avec mélancolie.

—La prochaine fois, tu viendras avec nous, dit Marie-Laure en lui caressant les cheveux.

Autrefois, cette manie mettait Louise hors d'elle ; depuis quelque temps, elle ne s'en offusquait plus. Marie-Laure et ses amies ne la traitaient jamais comme une enfant. Elles ne la considéraient pas non plus comme une handicapée. Non seulement elles ne la plaignaient pas, mais elles la taquinaient, et Louise aimait ça.

Fascinées par son intelligence et sa précocité, les jeunes filles se confiaient à elle, lui demandaient conseil, aussi Louise oubliait qu'elle avait trois ou quatre ans de moins que ses amies.

Pendant la première partie de l'après-midi, les garçons s'étaient affrontés au jeu de rôle tandis que les filles écoutaient de la musique. À présent, ils étaient réunis dans la véranda et regardaient Gaby ouvrir ses cadeaux : une ceinture à boucle western, trois DVD de la série *Star Trek*, un jeu vidéo, *Storm*, le dernier-né, des bouquins, une torche sous-marine de *Terre Sauvage*.

– Tu as bien travaillé à l'école, ça se voit, plaisanta Olivier qui avait terminé son repas généreux.

– Et il est très obéissant à la maison, pouffa Lucie.

– Et génial sur le terrain, ajouta Julien.

Louise, qui ne cessait pas de consulter sa montre, depuis près de trois quarts d'heure, manifesta son impatience :

– Mon cadeau à moi devrait être là. Je ne comprends pas…

– On devait le livrer ? lui demanda Flo.

– C'est ça, oui.

Diego secoua la tête avec commisération :

– On ne t'a jamais dit que la Poste ne marche pas le samedi ?

—Les livraisons, si, répliqua Marie-Laure.

Elle chuchota à l'oreille de Louise :

—C'est quoi, ton cadeau ?

—Une surprise.

—Ça ne fait rien si le paquet arrive lundi, lança Gaby pour consoler sa sœur.

—Lundi, ça sera trop tard, se désola Louise.

Gaby regardait avec mélancolie ses amis réunis par couples : Hugues et Marie-Laure, Julien et Florence, Diego et Lucie. Leurs gestes tendres, leur complicité, leurs chamailleries même lui faisaient ressentir plus cruellement sa solitude.

Olivier le délivra de ses pensées chagrines en aiguillant la conversation sur le foot :

—Dimanche, le match contre Carpentiez va être décisif : le vainqueur sera champion.

Hugues haussa les épaules :

—Décisif, c'est pas sûr : il reste sept matchs à jouer !

—Je ne vois pas qui pourrait nous battre, aujourd'hui, dit Gaby.

—Carpentiez, justement, dit Olivier.

—Sur notre terrain ?

—Carpentiez obtient de meilleurs résultats en déplacement qu'à domicile. Vos deux équipes sont de force égale.

—Pas depuis quatre mois, si tu permets : on leur a mis dix points dans la vue. Si on est à égalité, c'est qu'on a perdu nos premiers matchs, sinon on serait en tête. Meilhan, Saint-Pierre-de-Croix…

– Saint-Pierre ! gémit Julien, la honte !

– La galère !

Au même instant, on sonna à la porte de la villa.

– J'y vais ! cria Louise.

Elle propulsa son fauteuil avec dextérité et atteignit la porte avant que Gaby ait pu réagir.

Quelques minutes s'écoulèrent. Gaby avait recommencé à discuter avec Olivier lorsqu'il vit apparaître Virginie. La jeune fille, moulée dans un jean et un débardeur blancs, les cheveux épars sur ses épaules, le visage légèrement maquillé, était particulièrement ravissante. Elle lui sourit :

– Salut, Gaby.

– Salut, bégaya-t-il, stupéfait de la voir soudain devant lui alors qu'elle l'ignorait depuis des mois.

Désorienté, il croisa par hasard le regard de sa sœur. Son air malicieux le renseigna : C'était donc Virginie, le cadeau merveilleux promis depuis quinze jours !

Remarquant son embarras, celle-ci comprit qu'il ignorait sa venue. Sa présence ne le réjouissait peut-être pas autant que Louise le lui avait affirmé.

Elle s'assombrit :

— Tu n'étais pas au courant ?

En disant cela, elle se tourna d'un air accusateur vers l'auteur de ce malentendu.

— On ne pouvait pas me faire de plus beau cadeau ! s'empressa de dire Gaby.

Virginie rougit. Cette déclaration lancée en présence des autres la mettait mal à l'aise, mais elle était touchée par le courage de Gaby. Elle se dépêcha de lui faire la bise et de lui remettre son cadeau.

Tandis qu'il défaisait l'emballage d'une main maladroite, elle salua les autres, supporta avec le sourire les plaisanteries des garçons et éluda les questions indiscrètes des filles.

L'emballage déchiré, Gaby découvrit *La rose de fer*. Ce roman l'avait passionné autrefois. Il l'avait perdu et cherché en vain dans les librairies et chez les bouquinistes. Il en avait parlé à Virginie le lendemain de la rentrée scolaire, presque six mois auparavant.

— Tu t'en es souvenue ? balbutia-t-il, incapable de dissimuler son plaisir et son émotion.

Elle lui sourit :

— Je n'oublie jamais rien.

— Je vois. Le jour où je t'ai parlé de ce livre, c'était un samedi, dans le parc Montesquieu. Tu portais une robe rouge. Tu allais à un mariage.

— Aux fiançailles de ma cousine, rectifia-t-elle.

– Moi aussi, j'ai bonne mémoire. C'est vachement gentil ! J'adore ce bouquin. Comment tu as fait ?

– Après avoir fouillé toutes les librairies de la ville, j'ai fini par trouver une vieille édition sur Internet. Le livre est en bon état, non ?

– Tout neuf !

– Ohé, les amoureux ! On ne vous dérange pas trop ? plaisanta Olivier.

Marie-Laure écarta l'indiscret :

– On ne t'a jamais dit que tu étais lourd ?

– Quand on est journaliste…

– Quand tu seras journaliste, on en reparlera, ironisa Viviane.

Olivier prit un air renfrogné :

– J'ai bien envie de créer une rubrique féminine dans *Ballon rond*. Je l'intitulerais : « L'amour à l'ombre des champions ».

Flo leva les yeux au ciel :

– N'importe quoi !

Louise, cherchant un prétexte pour laisser Gaby et Virginie en tête à tête, s'écria :

– Venez voir mon aquarium ! J'ai des poissons lumineux. C'est très rare. Vous n'en avez jamais vu, je parie. Turan, tu peux fermer les volets ?

Virginie allait suivre le mouvement quand Gaby la retint et lui montra la véranda :

– Cet aquarium est pour nous deux.

Elle sourit :

—Drôles de poissons !

—Capturés par Louise.

Le sourire de Virginie se teinta de tendresse :

—Elle est vraiment craquante, ta sœur. Et maligne !

—Ça dépend des jours, bougonna Gaby.

Il se sentait soudain intimidé car c'était la première fois qu'il se trouvait seul avec elle et il ne trouvait rien à lui dire. Virginie vint à son secours :

—Tu sais que j'étais jalouse d'elle ?

—De qui ? De Louise ? dit-il, incrédule.

Elle fit la moue :

—Les autres n'arrêtaient pas de me parler d'elle : Louise est géniale, Louise est mignonne, Louise est un amour… Moi, j'ai marché comme une idiote. J'ignorais que c'était ta sœur J'ai voulu te rendre jaloux à mon tour.

—Avec Morgan ? souffla-t-il, sans oser croire à son bonheur. C'était réussi !

Elle lui prit la main et la serra sur son cœur :

—Je m'excuse pour tout ce que je t'ai sorti, je ne le pensais pas.

Ses yeux étaient si proches des siens qu'il fut incapable d'en soutenir l'éclat.

Gaby examina la foule des supporters de Miraval. Il aperçut Louise devant la tribune du stade. Virginie, elle, était invisible. Pourtant, elle aurait dû se trouver avec sa sœur. C'était elle qui lui avait permis d'assister au match en mobilisant ses parents. Ceux-ci avaient amené Louise. Ils viendraient la chercher à la fin de la rencontre.

La présence des deux filles donnait à Gaby l'envie de se surpasser. La volonté suffirait-elle ? Rien n'était moins sûr : en face, Carpentiez avait mérité sa réputation. C'était une équipe redoutable, formée de onze athlètes, particulièrement durs en défense. Un bloc solidaire, difficile à franchir.

Les deux formations étaient à peu près de force égale. Si Miraval avait marqué plus de buts que sa rivale, Carpentiez en avait encaissé beaucoup moins.

— Tu es en forme, champion ? s'enquit Turan sans interrompre ses exercices d'assouplissement.

Gaby hocha la tête, amical :

— C'est à toi qu'il faut demander ça. Ta jambe ?

L'avant-centre s'administra une grande claque sur la cuisse droite :

— Du béton !

Après une absence due à une blessure, le Sénégalais avait repris l'entraînement. Son retour dans l'équipe rassurait Gaby. Ni la vitesse de Xavier ni l'adresse de Morgan ne remplaçait la force de Turan. En mobilisant plusieurs défenseurs, il permettait à ses coéquipiers d'évoluer plus librement.

L'arbitre, un personnage aux gestes étrangement cérémonieux, appela les deux capitaines : Turan pour Miraval, Janvier pour Carpentiez. Les deux avants-centres. Raphaël Janvier, premier buteur du championnat, jouait à la star.

— Méfie-toi de lui, c'est un méchant, dit Gaby à Michaël.

Le stoppeur grimaça un sourire :

—T'en fais pas, je ne le lâcherai pas. Je vais le mettre en cage, ton fauve !

Turan revenait déjà. Il arborait un large sourire. Le tirage au sort lui avait été favorable : Carpentiez jouerait la première mi-temps avec le soleil dans les yeux.

L'arbitre discutait avec l'entraîneur de Carpentiez. Xavier s'impatienta :

—Qu'est-ce qu'il trafique, ce croque-mort ?

—Cool, mec, conseilla Turan. Gaffe aux crampes !

L'homme en noir se décida enfin. Il consulta son chronomètre, porta son sifflet à ses lèvres et donna le signal en l'accompagnant d'un geste théâtral.

Carpentiez engagea et passa en retrait. Le ballon circula d'un défenseur à l'autre. Les avants de Miraval tentaient de l'intercepter, sans gaspiller leurs forces. Les deux équipes s'observaient. Puis le libero de Carpentiez mit soudain le feu aux poudres en adressant une longue ouverture à son ailier gauche. Celui-ci trompa Diego et centra. Janvier reprit de volée. Le ballon sortit à un mètre du cadre.

Morgan émit un sifflement admiratif :

—Rapides, les rouges-gorges !

Gaby sourit : les Carpentiérains, en maillot blanc au col rouge, portaient bien leur surnom.

Après avoir récupéré la balle, Julien n'en

151

finissait pas de la placer et de la déplacer aux six mètres pour calmer le jeu.

—Grouille-toi! râla Xavier.

Gaby examina l'ailier avec réprobation: un vrai paquet de nerfs!

Le gardien dégagea en douceur sur Hugues. Pressé par le milieu offensif, le libero rendit la balle au gardien qui botta loin devant. Fabrice contrôla avec adresse et chercha Yann.

—Trop mou! hurla Xavier.

Le milieu offensif de Carpentiez avait intercepté. Il crocheta Nick et passa à son ailier droit. Celui-ci effectua un centre aérien. Janvier bondit pour reprendre de la tête. Cette fois, Hugues devança son adversaire et dévia le ballon sur Michaël. Le stoppeur shoota au-delà de la ligne médiane.

Gaby réussit un bel amorti. Il évita la charge du milieu défensif, dribbla l'arrière gauche et se défaussa sur Turan. L'avant-centre, en bonne position, n'eut pas le temps d'armer son tir: déjà, deux défenseurs fonçaient sur lui. Il talonna pour Gaby. Sans hésiter celui-ci tira en pleine course. Un mauvais rebond faillit tromper le gardien qui réussit à saisir la balle grâce à un réflexe étonnant.

—Sacrée défense! grommela Turan.

Sans lui laisser le temps de reprendre son souffle, le goal servit à la main son arrière gauche. Le défenseur remonta le long de la touche sans être inquiété.

— Marquez-le ! cria Gaby.

— Ils nous promènent ! fulmina Xavier.

Yann s'élança sur le porteur du ballon. Anticipant le contact, celui-ci se délesta sur le milieu offensif qui échappa à Michaël et servit Janvier. L'avant-centre renversa le jeu sur son ailier gauche. Face à Diego, l'attaquant feinta à droite, passa à gauche et centra. Julien, sorti de ses buts, cueillit la balle à quelques centimètres de la tête de Janvier.

Cette succession d'offensives éclair déstabilisait la défense de Miraval.

Sur la touche, les gestes et les conseils de Gio trahissaient sa nervosité.

— Plus haut ! Montez !

Conservant le ballon, les défenseurs opérèrent un mouvement concerté, destiné à porter l'action plus près du centre. À la hauteur de la ligne médiane, Yann et Fabrice relayaient Gaby.

Janvier et ses ailiers, placés hors jeu par le mouvement de la défense, durent se replier tandis que les joueurs de Miraval envahissaient le camp des rouges-gorges.

Gaby dribbla le stoppeur et alerta Xavier. L'ailier se débarrassa de plusieurs adversaires grâce à une série de dribbles fulgurants. Parvenu aux dix-huit mètres, il se préparait à centrer

153

lorsque le libero le tacla. Emporté par son élan, le lourd défenseur lui faucha les jambes sans le vouloir. En tombant, l'ailier se tordit la jambe droite et poussa un cri de douleur.

L'arbitre siffla :

—Coup franc !

Il fit reculer les Carpentiérains avec des gestes impérieux. Turan vint soutenir Xavier qui avait du mal à s'appuyer sur sa jambe.

—Ça va aller ?

—Je crois. Ce bovin m'a flingué le genou. Il l'a fait exprès !

Il repoussa le défenseur venu lui tendre la main.

—Casse-toi, tocard !

Les deux joueurs s'affrontaient du regard. Le public, houleux, sifflait le visiteur. L'incident allait dégénérer quand l'arbitre sépara les adversaires dans son style cérémonieux, puis il obligea les défenseurs à s'aligner à distance réglementaire.

L'ailier toujours blessé, Turan fut chargé du coup franc. Au signal, il décocha un tir enroulé qui franchit le mur défensif et claqua sur le montant gauche. Pressé par deux attaquants, l'arrière gauche préféra dégager en touche.

À la remise en jeu, Gaby hérita du ballon. Il lança Morgan le long de la touche. Au coude à coude avec un adversaire, l'ailier bloqua la balle en pleine course. Emporté par son élan, son garde du corps libéra l'espace. Morgan centra à ras de terre. Le ballon, renvoyé par un défenseur, parvint à Turan qui renversa le jeu sur Xavier. Celui-ci, remis de sa blessure, crocheta le libero. Débarrassé de son vis-à-vis, il s'élançait vers les buts, quand l'autre le retint par son maillot. L'ailier se débattit, déchira sa chasuble, perdit le ballon. L'arbitre, qui était pourtant bien placé, ne sifflait pas.

Furieux, l'ailier se retourna et asséna un coup de tête à son adversaire, qui s'effondra.

L'agression provoqua une mêlée générale. Les joueurs se bousculaient, se menaçaient. Morgan, en tentant de ramener le calme, reçut un coup de pied. L'arbitre siffla. Puis il sortit un carton et infligea un coup franc et un avertissement à Xavier.

– Et ça? cria l'ailier en montrant son maillot déchiré.

– On se calme! ordonna l'arbitre.

Turan et Gaby repoussèrent l'ailier.

– On va le gagner, ce match, mec, dit le Sénégalais.

Xavier cracha sur le sol avec mépris:

– Il est pourri, cet arbitre!

La paix revenue, le milieu défensif de Carpentiez tira la pénalité loin devant. Une offensive se développa au centre, brutalement jugulée par Nick. Janvier se retrouva au sol. Les joueurs s'énervaient de plus en plus. Le match était heurté, les actions décousues, les chocs violents. L'arbitre multipliait les interruptions sans parvenir à apaiser les esprits.

Sur une ouverture d'Hugues, la balle parvint à Gaby, qui dribbla successivement trois adversaires avant d'être fauché par le libero à la limite de la surface.

Hors de lui, Xavier se précipita sur le coupable. Le libero tomba, les mains pressées sur son visage simulant un coup imaginaire. L'arbitre se laissa prendre à sa comédie. Sans hésiter, il brandit un carton rouge. Expulsé injustement, l'ailier refusa d'obéir. Gio dut entrer sur la pelouse pour raisonner le révolté :

– Tu en as assez fait comme ça, tu ne crois pas ?

– Je n'ai rien fait ! hurla Xavier. C'est ce pantin…

– Maintenant tu obéis et tu te tiens tranquille.

Aveuglé par des larmes de rage, Xavier s'effondra sur le banc de touche.

Quelques minutes plus tard, l'arbitre, conspué par les spectateurs, siffla la mi-temps sur le score de 0 à 0. Miraval allait désormais jouer à dix. Les quarante minutes à venir risquaient d'être les plus éprouvantes de la saison.

Louise se débarrassa de son pull. Pour un mois d'avril, le temps était anormalement chaud, ou bien elle s'était trop animée en première mi-temps.

– Laisse !

Elle repoussa Virginie, qui voulait l'aider. Puis tempéra son refus par un trait d'humour :

– J'aurais dû m'habiller comme toi !

Pour assister au match, son amie avait mis un short et un débardeur moulants. L'un et l'autre mettaient en valeur son corps ravissant. Louise aurait aimé lui ressembler, avoir ses yeux verts, sa blondeur, sa poitrine ronde et, par-dessus tout, ses longues jambes. Sa grâce de ballerine. Pouvoir se déplacer comme elle en glissant au-dessus du sol.

« Gaby a de la chance ! » pensa-t-elle. Elle était heureuse d'être parvenue à réunir les deux amoureux, comme une fée bienveillante.

Autour d'elles, les spectateurs s'agitaient. Certains, accablés par la chaleur, se pressaient autour de la buvette du stade.

– Tu n'as pas soif ? demanda Virginie.

– Non !

Louise avait l'air agacée. Virginie se demanda le motif de sa contrariété. Pour la distraire, elle désigna Xavier :

– Cette expulsion, c'est stupide…

Louise pinça les lèvres avec sévérité :

– L'arbitre est nul : il n'a pas sanctionné les fautes, il ne les a même pas vues ! Résultat, le match a dégénéré. C'est lui le responsable.

– Ils vont remplacer Xavier ?

Louise secoua la tête :

– On va jouer à dix. C'est mal parti !

– Ils vont perdre ?

– J'en ai bien peur.

Louise n'était pas dupe : Virginie faisait semblant de s'intéresser au match, mais elle était loin de partager sa passion du foot.

– Va demander à Gaby, suggéra-t-elle d'un air moqueur. Il a sûrement prédit le résultat.

– Ce sont des bêtises.

—Pas sûr : tu es amoureuse de lui comme il l'avait annoncé, non ?

Virginie haussa ses belles épaules :

—Tu parles d'une prophétie ! Je l'aimais déjà bien avant. Il était le seul à ne pas s'en rendre compte. Au lieu de m'avouer qu'il voulait sortir avec moi, il me balançait des trucs méchants. J'avais du mal à le supporter.

—Il était intimidé. Je le comprends : tu es si belle !

Virginie pressa ses mains sur ses joues :

—Arrête, tu me fais rougir ! Regarde plutôt le match.

—C'est la mi-temps.

Louise montra Gaby et ses coéquipiers groupés autour de leur entraîneur :

—Gio est en train de les massacrer.

—Il n'est pas content ? s'étonna Virginie. Pourtant, ils ont bien joué, non ?

Louise ne répondit pas. Gio avait son visage des mauvais jours, et elle aurait bien aimé entendre ce qu'il était en train de dire.

L'impression de la fillette était justifiée : l'entraîneur était furieux.

—Je déteste ces comportements de voyous ! fulmina-t-il.

Julien protesta :

—Ce sont eux qui ont commencé.

—Ce n'est pas une raison : ces coups, ces insultes… Si j'avais été à la place de l'arbitre, il y aurait eu plusieurs expulsions !

—À commencer par l'arrière gauche, Giudicelli, et ce pitbull de libero, râla Yann.

Gio ignora l'intervention du milieu de terrain.

—Un conseil : ne cherchez plus l'affrontement. Ménagez vos forces. Conservez le ballon aussi longtemps que vous pourrez. Jouez en retrait, tentez des contre-attaques. Ils vont se découvrir. C'est votre seule chance. Donnez tout ce que vous avez, jusqu'au bout. Montrez-leur ce dont vous êtes capables. Pour moi, c'est inutile, je le sais : vous êtes les meilleurs !

Malgré leur colère et leur frustration, ils échangèrent un sourire. Gio savait trouver les mots capables de révolutionner toute une équipe.

Comme il l'avait annoncé, dès le début de la deuxième période, les Carpentiérains exercèrent une pression intense sur la défense de Miraval. Julien réussit à préserver le score grâce à cinq parades éblouissantes. Les spectateurs encourageaient leur équipe qu'ils estimaient injustement pénalisée par l'arbitre.

—Allez Miraval !

—Allez les bleus !

Carpentiez, vexé d'être tenu en échec, malgré sa supériorité numérique, devenait brutal. Pour éviter au match de dégénérer, l'arbitre sanctionnait les fautes, même les plus légères, et cette rigueur, un peu tardive, hachait le jeu. Elle profitait cependant à Miraval.

À l'occasion d'un coup franc bien placé, Gaby loba le mur défensif, d'un tir enroulé, et logea le ballon dans l'angle de la lucarne. 1 à 0.

Foudroyé par l'exploit, le buteur resta figé pendant quelques secondes, comme l'ensemble du public. Puis ses coéquipiers déferlèrent sur lui tandis que les supporters l'acclamaient :

– Gaby ! Gaby !

Louise, en pleurs, se suspendit au cou de Virginie.

– Qu'est-ce que ça serait si on perdait ! la taquina son amie.

– Dis pas ça ! supplia la petite.

Virginie secoua ses boucles blondes :

– Superstitieuse !

Il restait vingt minutes à jouer. Humiliés, les Carpentiérains envahirent le camp de Miraval. Ils pesaient sur la défense, multipliaient les tirs cadrés. Julien bloquait le ballon, puis gagnait du temps. Menacé par l'arbitre, il passait à Hugues, qui temporisait avant de rendre la balle au gardien. Les minutes s'écoulaient lentement. Gio faisait signe à ses joueurs de monter pour soulager la défense. Ils résistaient toujours, cependant ils accusaient la fatigue. Ils avaient du mal à conserver le ballon, renonçaient aux contre-attaques.

Une maladresse de Yann offrit aux Carpentiérains l'occasion espérée. Leur milieu offensif s'empara de la balle et lança l'ailier droit. Quatre avants évoluaient autour de lui. Leurs passes rapides déstabilisaient les défenseurs. Hugues contra l'avant-centre sans arriver à desserrer l'étau. Le ballon revint dans les pieds du milieu offensif qui échappa à Fabrice et renversa le jeu sur l'aile gauche.

La défense de Miraval se délitait. Leurs adversaires manifestaient une vitesse et une résistance qu'Hugues et ses coéquipiers n'avaient plus.

À présent, Gio faisait signe à ses joueurs de revenir en défense. Gaby, suivant son conseil, vint soutenir Hugues à quelques mètres des buts. Diego commit une obstruction sur l'ailier gauche. L'arbitre porta son sifflet à ses lèvres, puis laissa l'avantage aux Carpentiérains. L'ailier centra. Janvier reprit de la tête. Devançant Julien, Gaby voulut détourner en corner. La balle déviée trompa le gardien et finit dans les buts. 1 à 1.

Tandis que les Carpentiérains félicitaient le buteur, Gaby accablé tomba à genoux, la tête entre les mains.

Gio tendit sa main ouverte : plus que cinq minutes de jeu ! Arracher le match nul à dix contre onze, ce n'était déjà pas si mal. Encore fallait-il tenir !

Hugues se pencha sur Gaby :

– Ce n'est pas ta faute, mec. Tu es le meilleur.

– Le meilleur pour perdre un match !

Il gagna le rond central, la rage au cœur. Il n'était pas le seul : en face, les Carpentiérains tremblaient d'impatience. Un but, un seul but pouvait décider de la victoire et sans doute du championnat.

Turan engagea et passa en retrait à Fabrice, qui dévia sur Gaby. Celui-ci fit signe à l'avant-centre :

– Fonce !

Il résista à la charge du milieu de soutien, passa un deuxième adversaire, esquiva le tacle du libero. Rien ne semblait pouvoir l'arrêter.

– Gaby ! Gaby ! Gaby !

Malgré la maladresse qui avait coûté un but à son équipe, son nom résonnait de nouveau dans la tribune et tout autour du terrain. Porté par la foule, il réussit à expédier le ballon sur le pied droit de Turan. Le Sénégalais contrôla et tira. La frappe instantanée surprit le gardien. Il para malgré tout, mais relâcha la balle.

Celle-ci rebondit en direction de Gaby. Dernière occasion ! Le public retint son souffle. Sans s'affoler, le milieu offensif crocheta le dernier défenseur, feinta à droite et trompa le goal d'un tir de l'extérieur du pied. 2 à 1.

Ivre de joie, le buteur entra dans les buts et shoota dans le ballon coincé au fond des filets.

Devant la tribune, Louise se mordait le poing. Virginie dansait.

Deux minutes plus tard, l'arbitre siffla la fin de la rencontre provoquant l'invasion du terrain par une foule de supporters déchaînés. Gaby, assailli par ses admirateurs, riait de plaisir.

—Tu as marqué les trois buts du match ! lui dit un gamin.

Olivier serra le héros du match dans ses bras :

—Devine un peu qui vient d'assister à tes exploits ?

Gaby se libéra de l'étreinte pour répondre à Virginie qui lui envoyait des baisers du bout des doigts. Olivier grommela :

—Pas une fille, mec, mieux que ça, beaucoup mieux !

—Qui ?

—Bérard, le sélectionneur national, tu réalises ?

Il s'attendait à une réaction enthousiaste. Mais Gaby l'écarta, lui et sa grande nouvelle, pour recevoir Virginie qui se jetait dans ses bras. Sa victoire, c'était elle !

1301. CHAMPIONS !
1302. CARTON ROUGE !
1303. HORS JEU
1304. FOOT SAMBA !
1305. CONTRE-ATTAQUE
1306. LES INDOMPTABLES
1307. REVANCHE
1308. FINALE D'ENFER !
1309. SOIF DE VICTOIRE
1310. DÉMON DU FOOT
1311. EN TÊTE !
1312. DÉFENSE REBELLE
1313. DOUBLE JEU
1314. LES BUTEURS
1315. ENJEU !
1316. COUP FRANC !
1317. KING GOAL !
1318. LE MAGICIEN
1319. RENCONTRE DE CHOC
1320. MATCH AU SOMMET
1321. COUP DE TÊTE
1322. ATTAQUE À HAUT RÉGIME
1323. DUELS AU SOLEIL
1324. MAUDITS MATCHS

Impression réalisée par

C P I
Brodard & Taupin

La Flèche
en décembre 2009

Imprimé en France
N° d'impression : 55564